新潮文庫

安全のカード

星 新一著

新潮社版

3935

安全のカード　☆**目次**☆

挿絵　真鍋　博

安全のカード

頭痛

会社の仕事が終ってから、その青年は行きつけのスナックに寄り、夕食をとった。

「さて、帰ってテレビでも見て寝るか。ほかに、することもないし」

そうつぶやきながら、店を出る。つまり、毎日がそんな生活だったのだ。

駅のそばまで来た時、声をかけられた。

「もしもし、ちょっと……」

そっちを見ると、ビルのそばで小さな机をおいて営業している占い師だった。いつもだったら、気にもせずに通り過ぎるところだが、なぜか青年は、足をとめる気になった。あるいは、さっき食事の時に飲んだ一本のビールの酔いのせいかもしれない。

青年は、そばへ寄って言った。

「そうだな。たまには占ってもらうのも、いいかもしれない」

占い師は、ゆっくりした口調で言った。

「あなたはですね、たぶん、まだ独身。会社へつとめて、三年ぐらいといったところでしょうか」

「ああ」

「こう申しては失礼ですが、まだ才能を発揮するチャンスにめぐまれず、昇進もなさっていない」

「ああ。しかし、よくわかるね。さすが本職だ。まさに、その通り」

「まあまあ、そう感心なさってはいけません。それぐらいのことは、こんな商売を何年もやっていれば、ほぼ見当がつきますよ。会社づとめか、お役人か。自営業か自由業か。エリートコースか、そうでないか。服装、表情、歩き方、それらしい特徴が出るものです。だれだって、七割ぐらいは当るんじゃないでしょうか。わたしらは、話の持ち出し方がうまいだけです」

「そういわれてみれば、そんなものかもしれないな……」

青年は笑い、いささか気楽になって、さらに言った。

「……あなたの正直なとこが気に入った。ぼくも率直に言うよ。チャンスにめぐまれないのじゃなくて、発揮しようにも、才能そのものがないってわけさ。このまま一生うだつがあがらないのかと思うと、うんざりってとこだ。その上、女性にぜんぜんもてないとくる。まさに、いいところ、なにもなしっていうわけだね」

SSERVICE

「お気の毒ですね」

「まあ、仕方ないさ。そこへもってきて、将来に災難が待ちかまえていたりしたら、もう、どうしようもないな。ご忠告があったら、うけたまわっておくよ。ぼくに声をかけたからには、なにか理由があってのことなんでしょう」

「はい、じつは……」

占い師に言われ、青年はてのひらを相手の前に出した。

「よく見てもらいたいね」

「わたしは、手相のほうはわからないのです。霊感のひらめきが、専門なのです。そして、びしりびしりと未来がわかるというたぐいでもありません」

「なんだか、たよりないなあ」

「そんなことは、ございません。これまで、何人もの人に喜んでいただいています。つまり、ご本人が気づかないでいる才能を、教えてさしあげるというわけです。社内で事務を取っているのより、本来、外まわりの仕事にむいている人など……」

「そういうことか。それの的中率が高ければ、人助けにもなるだろうな。しかし、おあいにくだな。あればいいなといつも思ってはいるんだが、ぼくには、なんの才能もないらしい。外勤がだめで事務の仕事にまわされたんだが、そこでも本領を発揮とはいかない。語学もだめだし、音楽や絵などの芸術的な分野にむいているとも思えない。運動神経だって、ないんだぜ。非常勤の重役あたりが適任なんだろうが、そうなるまでが大変だ」

「そんなふうに、あきらめてはいけません。人間、なにかとりえはあるものです。だからこそ、あなたに声をかけた。そして、あなたはそれに応じて、わたしの前においでになった。すでに、なにかがはじまっているのです」

「しかし、このぼくに、かくれた才能があるとはねえ。あるなら、教えて下さい。でたらめでもいいよ。まさに、これこそ金を払う価値があるというものだ。人生が、少しは楽しくなる」

青年は答えを待ち、占い師は言った。

「ご自分でお気づきにならないのも、むりはありません。ありふれた普通の才能ではないのですから。いいですか、あなたには、他人の苦痛をなおす才能がそなわっているのです」

「なんだって。しかし、ぼくは家庭医学の本さえ、読んだこともないんだぜ……」

「医者におなりなさいと申しているのでは、ありません。悩んでいる症状を取り除けるといったほうが、いいでしょうか」

青年は、うなずいて聞きかえす。

「ははあ。すると、なんだな。心霊的な療法というやつか」

「そうです。こういうことは、ほかの占い師にはわからないでしょうが、わたしにはぴんときました」

「そうか。そんなことは考えたこともなかったが、あるいは、あるのかもしれないな。うそだとしても、面白い。そのうち、ためしてみよう。で、どうやればいいのだ」

「手をかざして、念じてみたらいいのじゃありませんかな。なさっているうちに、こつが身につきますよ。いずれにせよ、あなたにその才能があることはたしかです。ちがっていたら、料金はおかえししますよ」

「いいさ。なんとなく明るい気分になってきたよ。どうもありがとう」

青年は金を払って帰宅した。

数日後、会社のとなりの席の同僚が青年に言った。

「きょうは、頭痛がひどくてかなわんよ」

「そういえば、きみは時どき、そうなるみたいだな」

「ああ、持病なんだ。それに、あいにくと薬を切らしてしまってね。いま買いに行ってくるから、電話でもあったら、そう答えておいてくれ」

その時、青年は思いついて言った。

「ちょっと、ためさせてくれないか」

「どういうことなんだ」

「まあ、冗談みたいなものさ。薬屋は、そのあとでいい。しかし、ここじゃまずいな。別室へ行こう」

あいている応接間へ入り、青年は同僚の頭に手をかざし、頭痛よ去れと念じた。同僚はしばらく首をかしげていたが、やがて驚きの声をあげた。

「ふしぎだ。なんだか痛みがおさまったみたいだ」

「そりゃあ、よかった」

「わけがわからないが、おかげで助かったよ。こんど頭痛が起ったら、また、きみにたのむとするかな。薬を連用するよりは、からだにいいだろう」

それから何日かして、同僚は青年に言った。

「あれ以来、ぜんぜん頭痛が起らない。どうやら、きみのおかげらしい。これがどんなにうれしいことか、体験者じゃなくてはわからないだろうな。そのお祝いであり、お礼だ。きょうはおごらせてくれ」

青年は同僚に連れて行かれて、豪華な夕食にありつけた。そのあと、高級なバーに寄る。そこの女性に、同僚は言った。

「こいつは、すごい能力の持ち主なんだ。なにしろ、ずっと悩まされつづけだったぼくの持病の頭痛を、いとも簡単になおしてくれたんだからな」

「信じられないようなお話ね」

「と思うだろう。しかし、ぼくの場合、うそのように全快さ。だからこうして、祝杯をあげているんだ」

「じゃあ、あたしのも、なおしていただけないかしら。病気ってわけじゃないけど。それとも、やはり病気なのかしら。タバコなしじゃ、三十分とがまんできないの。ニコチン中毒ね。でも、こういうお仕事でしょ。お客さんの前じゃ、あんまり吸うわけにいかないわけよ。ほんとに困っているの。なんとかやめたいと思うんだけど、できないの。どうにかならないかしら」

女にたのまれ、同僚もそばですすめ、青年はうなずいた。

「じゃあ、ためしてみるか……」

このあいだと同じようにやってみた。彼女は、考えこみながら言った。

「あら、気のせいかしら。タバコを吸いたいって気分が、おさまったわ」

その次の日、会社の青年の机に、彼女から電話がかかってきた。

「用件はね、お礼よ。あれから、ぜんぜんタバコを吸いたくならないの。タバコの箱を見ても、手にしようという気にもならないのよ。目がさめて一服、食事して一服が習慣だったのに」

「そりゃあ、よかったね」

「近いうちに、お店へお寄りになってよ。あたしのおごりで、お飲みになってね」

青年は、まんざらでもなかった。どうやら、占い師の言ったことは、本当だったようだ。どえらい才能ではないか。こんなものが、わが身にそなわっていたとは。たいした手間もかけずに、他人からは、神さまに対するのに近いほどの感謝を受ける。悪くない気分だ。

こうなると、うわさは少しずつひろまる。青年は会社で専務に呼ばれて、こう言われた。

「きみは、妙なことができるそうだな」

「はあ……」

「かくさなくてもいい。じつは、わたしは神経痛に悩まされているのだ。左足でね。なかなかしぶといんだ。医者にかかっているが、はかばかしくない。神経痛で死ぬやつがないからか、その分野の治療法がおくれているらしいのだ。たのむ、なんとかしてくれ」

「やってはみますが……」

青年はこころみた。上司の命令だ。だめでもともと、あるいはうまくゆくかも……。結果はすばらしかった。数日後、青年は辞令をもらい、専務室の室長という地位に昇進した。しかし、こう申し出る。

「ご好意はありがたく存じますが、むずかしそうな役目で、わたしには、やりこなす自信がありません。それに、仕事の才能でなくて昇進しては、社内の統制が……」

「きみはまだ、その才能の重大さに気づいていないようだな。くだらない事務なんか、やらないでいいんだ。時どき、たのまれてくれるだけで、わが社に大きな利益をもたらしてくれるというわけさ」

「はあ……」

ふしぎがる青年に、専務が言った。

「さっそくですまんが、わたしといっしょに、ある人に会ってくれ」

「どんな症状なんです」

青年に聞かれ、専務はある大会社の名をあげた。

「ここは、大きな取引先なのだ。そこの社長には男の子がなく、娘を結婚させ、養子をむかえた。いずれは後継者にとね。そこまではいいのだが、そいつがたえず浮気《うわき》をする。わたしも会ったことがあるが、なぜかわからんが、女にもてるんだな。妙な魅力とでもいうべきムードがあるんだ。といって、いまさら離婚させるわけにもいかず、まことに困った事態なのでね。きみの力で、なんとかならんかな。ああいうのも、一種の病気といっていいんじゃないかと思う」

いささか飛躍した論理みたいだが、青年は答えないわけにいかなかった。

「自信はありませんが、やるだけやってみましょう」

そして、それもうまくいった。一週間後、専務は青年に言った。

「すばらしい。あれから性格が一変したそうだ。浮気がぴたりとおさまり、仕事にはげむようになったそうだ。どうやら、女にもてなくなったらしい。そこの社長は喜んでね、わが社との商談は、たちどころにまとまった」

「けっこうでしたね」

「つまり、きみは、わが社における貴重なる人材なのだよ。ほかの社員には、これだけのことはできまい」

言われてみると、まさにその通りなのだ。青年の生活は、かくして一変した。単調な事務をやらなくてすみ、商売相手のごきげんをとることもなく、責任感の重圧に頭を使うこともない。出勤して、雑誌でも読んでいればいいのだ。そして、専務の指示によって、あの能力を活用すればいい。

「今回は、社長からのたのみだ。社長の親類に、アル中になったやつがいるそうだ。一日中、酒を飲みつづけ。酒が切れると、あばれ出すらしい。普通だと、酔ってあばれるものだがね。いずれにせよ、困った状態なんだ。酒を飲ませつづけていればいいんだが、それではからだのほうがまいってしまう。なんとかしてくれないか」

「やってみましょう」

まったく、世の中には、さまざまな症状のやつがいるものだ。青年はつぎつぎに、それらをなおしていった。

いったい、なぜ治療の効果があがるのか。検討してみようと思ったが、どこから手をつけていいのかわからず、やめてしまった。とにかく、なおるのだ。それでいいではないか。

また、この能力は、いつまでつづくのだろう。一時的なものだろうか。そのあたりが、いささか気になった。しかし、おとろえそうなけはいは、なかった。

強度の近視の人をなおしたし、長いあいだ水虫に悩んでいた人を助けた。不眠症を救ったし、どもる口調で不便な日常をすごしていた人に感謝された。しゃっくりがとまらないという、気の毒な人もなおしてあげた。

万一を考え、青年はまず病院へ行って診断を受けさせ、そのあとで引き受けるという方針をとった。盲腸炎だの、高血圧だの、心臓に欠陥のある人などを相手にし、うまくいかなかった場合はことなのだ。死人が出たりしたら、なにもかも終りだ。

そんな制限をもうけても、けっこう依頼は多いのだった。頭髪の脱毛をある段階で防止したこともあったし、神経性らしい慢性の下痢をもなおした。

どうやら、この能力は、容易には消えないものらしい。安心していいようだ。青年は、それについての心配もやめてしまった。

まさに、申し分ない日々だった。給料もボーナスも、以前にくらべたら格段にふえている。青年は高級なマンションの一室を買い、そこに移った。ハイクラスの人たちが多く住んでいる。うわさを伝え聞いて依頼に来る人もあり、思わぬ謝礼の入ることもあった。

青年の室のとなりの住人は、神経科の医師だった。ある日、たずねてきてこう言った。

「あなたは、ふしぎな才能をお持ちだそうで」

「ええ。できれば、研究材料にしたいとお思いなのでしょう」

「興味はありますが、わたしの手にはおえないでしょうな。いわゆる科学的な学問とは、別な分野のもののようですからね」

「ぼくも、そう思いますよ。ところで、なにかお悩みをお持ちのようですが」

青年が聞くと、相手は声をひそめて言った。

「じつは、そうなんです。わたしの患者に、被害妄想《ひがいもうそう》の人がいましてね。ずいぶん手をつくしたんですが、よくならない。それどころか、だんだんひどくなり、やがては殺人狂になりかねないのです」

「むちゃくちゃだ。なんでまた……」

「その人、おれが不運なのはだれそれのせいだと、殺意をいだきはじめるというわけです。そして、実行しかねないから危険なのですよ。わたしとしては、あなたのお力を借りたくはないのですが……」

「事情はわかりました。内密にお手伝いしましょう。あなたの医師としての信用を、そこなわないようにして」

青年は手を貸し、それはうまくいった。医師は感謝し、かなりの額のお礼を持ってきた。その患者の家族が財産家だったのかもしれなかった。なにしろ、けっこうなことだ。

順調な日々が、つづいてゆく。

ある日、青年は軽い頭痛を感じた。ちょっと働きすぎたかな。あれだけの人びとをなおしてきたのだ。頭だって、少しは疲れるというものだ。彼はさほど気にしなかった。

やがて、青年は毎晩のようにバーに出かけるようになった。なんだかしらないが、女性にもてるのだ。なかには、深い仲まで進むのも何人かあった。こんなようになるとは、昔は夢にも思わなかった。

その楽しさにまぎれて気がつかなかったが、一日に吸うタバコの量、飲む酒の量も、かなりのものにふえていた。

左足が痛い。神経痛のようだ。そういえば、頭痛のおこる間隔も短くなり、痛みの強さもはげしくなっている。

「まさか……」

しかし、どうやら、それが現実のようだった。近視ぎみになり、その度は進んだ。水虫にかかり、不眠症になり……。

いい気になって他人の症状をなおしてきたはいいが、それはみな、こっちへ移ってきたのだ。

いままでなおしてきた症状を数えあげ、青年は青くなり、気が遠くなった。あれらがみんな、ある期間をおいて、わが身にあらわれてくるというわけだ。なんということ……。

青年はマンションの一室にとじこもり、外出しなくなった。とても、そんな気になれない。横たわってタバコを吸いつづけ、酒を飲みつづける。時どき女性がたずねてきてくれるが、それ以外の大部分の時間は、苦痛の連続なのだ。頭は痛み、左足の神経痛は悪化し、しゃっくりが出はじめ……。

やがては、こうつぶやくようになる。

「こ、こんなことになったのも、も、もとはといえば、ひくっ、あ、あの占い師のおかげだ。あ、あんなことを聞かされなかったら、平凡な生活でいられたのに。ひくっ、生かしておけない。そ、それに、最初に頭痛をなおさせて、こ、こ、この妙な能力を認識させた同僚のやつ。バーの女。そ、それに、つ、つぎつぎと依頼人を連れてきた専務もだ。ど、どいつもこいつも許せない。ぶ、ぶ、ぶっ殺してやる。ひくっ、きっとやるぞ。ま、まず、第一にはあの占い師だ……」

親友のたのみ

その青年はあるマンションに、ひとりで暮していた。職業はイラストレーターで、才能をみとめられ、注文もふえ、悪い収入ではなかった。

ある夜、十一時ごろ、青年が仕事に熱中していると、玄関のブザーが鳴った。だれか来たらしい。

「やれやれ、やっと調子が出はじめたのに、お客とは。だれであろうと、きょうは相手になっていられないな」

つぶやきながら立ち上ってドアをあけると、そこに友人が立っていた。中学、高校と同級で、それ以来ずっと親しい仲だった。彼は大学で経済を学び、いまはある会社につとめている。ドアのそとで友人は言った。

「じつは、ちょっと、たのみが……」

「簡単なことかい」

「そうだな。話せば、長くなるかもしれない」

「だったら、悪いけど、べつな日にしてくれないかな。あしたまでに、描き上げなければならない仕事があるんだ。分類すれば自由業なんだろうが、こんな場合には、ひどいものさ。一分一秒といっては大げさだが、三十分となると、えらい貴重なものなんだ」

「そういうものかもしれないな」

「ああ。だから、いまはぐあいが悪いんだ。あしたなら、いいけど」

「そうか、残念だな」

と、友人はあきらめたような表情になった。なにか相談したいことがあるらしかったが、こっちは忙しいのだ。それに、こんなことで仲たがいするような間柄《あいだがら》ではない。なにしろ、二人は親友なのだ。

青年はふたたび仕事に戻る。二時間ほどたったころ、電話が鳴った。

「だれだろう、いまごろ……」

彼は、受話器を取って言った。

「もしもし、どなた」

「こんな時間におかけして、なんですけど……」

相手は、さっき会った友人の母親だった。こわばった口調だ。青年は聞く。

「どうかなさいましたか」

「あの、じつは、うちのむすこが死にましたので……」

「なんですって。まさか……」

「いいえ、本当なんです。生前、親しくしていただいたあなたに、いちおうお知らせしましょうと思いまして」

「信じられないけど、本当のようですね。これから、すぐにうかがいます」

「なにも、わざわざ。あしたで、けっこうでございますよ」

「いえ、それでは気がすみません」

絵は、いちおう仕上っていた。不満な個所がいくつかあるが、それは芸術家的良心の問題で、雑誌社の人の気づくような部分ではなかった。こんな場合だ。かまわないだろう。

青年は服を着がえて、外出し、タクシーに乗る。いったい、あいつは、なんで死んだのだろう。自殺かもしれない。となると、ぼくにも責任がないとはいえない。さっき、親身になって相談に乗ってやっていれば、そんなことにならないですんだかもしれないのだ。

そういえば、いやに深刻そうなようすでもあった。そうとわかっていれば、むりをしてでも話し相手になってやるんだった。それにしても、なにも死ななくても……。

自責の念がこみあげてくる。長いつきあいのなかでの、さまざまな出来事が思い出される。救いを求めてぼくにさしのべた最後の手を、忙しいからと、はらいのけてしまったのだ。

その友人の家は、郊外にあった。一戸建ての家。青年はかけこみ、友人の両親へのあいさつもそこそこに、遺体に呼びかけた。

「すまないことをした。ぼくが悪かった。そんなに悩んでいたとは。そうと知ったら、少しぐらいの時間はやりくりして……」

涙がこみあげ流れ出し、声もふるえてきた。そばで父親が言った。

「そうまで悲しんでいただいて、本人もさぞ喜んでおりましょう。しかし、あなたの責任ではございません。本人の不注意のためなのですから」

「いえ、ぼくのせいなのです」

「そんなことはありません。酒に酔って、横断禁止の道路を渡ろうとしたのですから」

「酔っぱらってですか……」

青年は聞きかえした。さっきは、そんなようすはなかった。とすると、あれからどこかで飲んだのだろうか。父親は言った。

「そうなのです。当人にも非のある、交通事故なのです。むこうは大きなトラックですから、急ブレーキもきかなかったのです。残念ですが、仕方ありません。現場の検証やなにかがすみ、ここへ運び、まずあなたへお電話をしたというわけです」

「いったい、事故は何時ごろのことですか」

「十一時ごろだったそうです」

「え、十一時……」

青年は驚き、思わず声をあげた。

「なにか……」

「ええ、ちょうど、その時間ですよ。ぼくのとこへ、たずねてきてくれたのです。すると、あれは……」

友人の両親は、顔を見あわせて言った。

「やはり、そういうことって、あるんですねえ。よく話には聞きますが。仲のよかったあなたのところへ、別れを告げにあらわれたというわけでしょうね」

つぎの日がお通夜だった。青年はそれをすませて帰宅し、くつろぐ。きのうの今ごろだったな。とても亡霊とは思えないぐらいはっきりしていたし、かわした会話さえ思い出せる。そんなことを回想していると、ブザーが鳴った。

　ドアをあけると、そこには友人が立っていた。きのうと、まったく同じように。青年は首を振り、目をこすりながら言う。

「ま、まさか……」

「ああ、その、まさかなんだよ。きょうなら時間があるってことだったんで、来たわけさ。入ってもいいかい」

「そりゃあ、かまわないけど……」

　と答えると、友人は入ってきて、そばの椅子《いす》に腰をかけた。いつもやってくると、そこにかけることになっていたのだ。友人は言った。

「ところで……」

「おたがい親友だし、追いかえすわけにもいかないけど、妙な気分だぜ。なにしろ、きみのお通夜から、帰ってきたとこなんだからな。きみは、自分の立場がわかってるのかい」

「そりゃあ、そうさ。自分の影の薄いことぐらい、わかっているよ。だから、めったな人の前には出られないってわけさ。ふるえあがって、話し相手になってくれない。しかし、きみなら古いつきあいだし……」

青年がよく見ると、光をさえぎっている彼の影は、普通の半分ぐらいの暗さしかなかった。

「幽霊になってしまったというわけだな」

「ああ。どんな気分か聞きたいだろうが、うまい形容が思いつかないな。こればかりは、なってみないとわからない」

「ところで、きのうは、なにか相談ごとがあるようなようすだったが」

「そうなんだ。しかし、幽霊と知って、気分が悪くならないかい。だったら、このまま消えるけど」

「いや、いいよ。だんだん、なれてきた。もちろん、最初は驚いたけどね。で、いったい、なんだい、話したいことって」

　青年が聞くと、友人の幽霊は言った。

「ありゃあ、事故なんかじゃない。ぼくは殺されたんだ」

「車にはねられてだろう」

「それは、直接の死因。真相は、薬をまぜた酒を飲まされ、ふらふらになったところを、道路へ追い出されたんだ」

「なんでまた、そんなことに」

「わが社に、使途不明金が、かなりあったんだ。不明といっても、つまり、表面に出せない工作資金のたぐいでね。普通ならどうってことはないんだけど、こんど新しい応援者があらわれ、経営参加で協力してもらい、飛躍をめざすことになった。となると、この件を整理しておかなくてはならない。そこで、ぼくが使いこみをやったことにされてしまったってわけさ」

「しかし、きみは、そんなことをする性格じゃあ……」

「そこなんだな、問題は。使いこみとは、まさかあの人がという人物でなくてはならないんだ。いいかげんという評判の人物では、そうと知って使っていたおえらがたにも責任があることになる。ねらわれたぼくは、まさに運が悪いとしか……」

「そんなたぐいの小説はよくあるが、まさか現実におこるとはねえ。企業とは非情なものなんだな。で、いったい、どんなぐあいにやられたんだい」

「経理部長、つまり、ぼくの直接の上役さ。そいつが、珍しく食事をおごってくれた。やつは酒を飲まないんで、ぼくだけが飲む形になってしまった。きみは将来性がある、会社にとって貴重な人材だなんて、うまいことを言って酒をすすめるんだな。上役の前だからと自制していたのに、あんな変な酔い方をしたんだから、たぶん薬をまぜられてたんだろうな。きっと、そうだ。なにか、からだが浮きあがるようだった」

「それから、どうなった」

「やつはぼくを送ると言って、自分で車を運転して走らせた。そして、さあここだと車をとめ、ぼくは指さされた方角へ歩きはじめた。道がカーブしていて、見とおしが悪く、横断禁止のところ。車にはねられて当然の場所なんだ。やつにとっては、あらかじめ、ここが適当と調べた上でのことだったのさ」

それを聞いて、青年は腹を立てた。

「まったく、ひどいやつだ。よし、あした、警察へ訴えてやる」

「むだだろうな。証拠は、なにもないんだ。薬は検出できるかもしれないが、自分で飲んだと思われるかもしれない。それに、帳簿のたぐいは、巧妙に処理されているだろうしね。おそらく、どうにも手のつけようはないんじゃないかな」

「しかし、このままでは、死んでも死にきれない気分だろう」

青年が言うと、友人の幽霊はうなずいた。

「ああ」

「だったら、その経理部長のところへ化けて出たらどうなんだい。ぼくは驚かないけど、やつはやましいところがあるんだから、ふるえあがると思うがな」

「それがね、そううまくいかないんだ。きみは芸術家で、普通の人にはない、ある種の感覚が鋭敏なんだ。それに、親友でもあるしね。つまり、波長が合うんだな。そのため、ぼくの霊の実体化が可能ってわけなんだ」

「そうか。じゃあ、こうしたらどうだろう。テレビ関係に知人がいるから、話をつけ、ここから放映をやらせよう。きみの言い分を世に訴えるのに、絶好だよ。やつを社会的に葬ることもできる」

「そうはいかない。他人がそばにいては、波長が乱れ、ぼくの姿は消えてしまう。とくに、テレビカメラはよくない。あれがあると、出現できないのだ」

「そうとは知らなかった。ところで、いまのきみに、どれだけのことが可能なんだい」

「こんなふうに会話をするのと、せいぜいブザーを鳴らすことぐらいだ。だから、彼をしめ殺したくても、どうしようもない。そこで、きみに相談に来たわけだ」

「わかった。ほかならぬ、きみのことだ。手伝うぜ。まず金でもふんだくるか」

青年は身を乗り出し、友人の幽霊は言った。

「ぼくの父は公務員をやってたんで、いまは恩給生活だ。それに、兄が二人いるから、老後の生活はなんとかなる。それに、ご存知のように、ぼくはまだ独身。遺族への心配はない。ぼくとしては、やつにしかえしをしたいだけだ。しかし、金を巻き上げるのも、ひとつの手だね。やつが困れば、それで胸がすっとする。金はきみにあげるよ。幽霊になっては、使い道がないものね」

「よし。なんとかやってみよう」

「じゃあ、今夜はこれくらいで」

友人の幽霊は、姿を消した。

翌日、青年は友人がこれまでつとめていた会社に電話をかけ、経理部長につないでもらった。相手は言う。

「なにか、ご用ですか」

「このあいだは、部下のかたが、お気の毒な目にお会いになられましたね」

「彼のご友人ですか」

「まあ、そのようなものです。ところで、その死因についてですが……」

「な、なにをおっしゃりたいのです」

相手は、うろたえた声になった。たしかに、やましいところがあるようだ。

「説明しなくても、そちらでおわかりでしょう。あの日の夜のことは」

「わ、わたしは、なにも知らない。警察でも二、三の質問をされたが、不審がられたことは、なにもなかった。きみは、おどす気か」

ひどく、あわてている。しかし、電話を切らないところをみると、部長室なるものがあって、そこにひとりでいるのだろう。そして、こっちをかなり気にしているらしい。

「その通りです。そうそう、この電話を逆探知などなさらないことですね。あなたが不利になる結果に終りますよ。よろしいですか、表ざたにしたくなかったら、お金をご用意になることですね。あなたの地位なら、できないことはない……」

青年は、かなりの金額を口にした。

「しかし、すぐには……」

「こっちも急ぎはしませんよ。しかし、いずれにせよ、あなたは、お金を払わなくてはならないのです」

青年は、いったん電話を切る。

夜の十一時になると、またも友人の幽霊がやってきた。青年が経過の説明をしかけると、友人は言った。

「わかっているよ。幽霊はなんでも、お見とおしなんだ。よくやってくれた」

「ところでだ。やつだって、あくまでしらを切るだろう。そこで、もう一押ししたいところなんだな。きみの声を、録音できないだろうか」

「そういう機械類は苦手なんだが、テレビカメラよりはいい。なんとかやってみよう……」

友人の幽霊は、自分は部長にこのようにだまされて殺されたのだとしゃべった。普通の会話の時とちがって、かなり疲れるらしかったが、それでもかすかに録音がとれた。ボリュームを上げて再生すると、いちおう聞きとれる。

「よし、これでおどしてみよう」

二日ほどして、青年はまた経理部長に電話をかけた。

「このあいだの者ですが」

「しつっこいね。いったい、なにを根拠にそんないいがかりを……」

「では、それをお聞かせしましょう。これはテープですがね……」

青年は録音を再生した。友人の声だ。

「……わたしは部長に薬の入った酒を飲まされ、横断禁止の道路でおろされて……」

それを聞いて、相手は驚きの叫びをあげた。

「まさか。あいつは死んだんだ。即死したんだ。そんなことをしゃべるひまなど、なかったはずだ。わたしは少しはなれたところで、見てたんだ。そんなものは、トリックだ」

「どうお受け取りになられても、けっこうです。たしかに、一種のトリックかもしれません。しかし、いまのあなたの声は、ちゃんと録音してしまいました。まさに、これこそ立派な証拠……」

「よくも、そんなことを……」

「どうなさいます。警察へ自首なさいますか。それとも、お金をご用意いただけますか、このテープの代金として」

「わかった。金をつごうしよう」

「そうですよ。それが賢明というものです。紙幣をカバンにおつめになり、夜の九時にお会いしましょう。あなたの会社のそばの公園の、ベンチにすわっていて下さい。そして、肩をたたかれたら、ふりむくことなく……」

　青年は指示した。

　夜、マンションを出ようとすると、友人の幽霊があらわれて言った。

「やめたほうがいいぜ。やつは殺し屋をやとった。きみが帰るのをつけて、金をふくめて、テープからなにもかも回収し、そのうえ口まで封じてしまうつもりらしい」

「なんてことを」

　友人の言う通りなのだろう。青年は外出をやめ、つぎの日に経理部長に電話をかけた。

「まいど、おなじみの……」

「金は指示どおり用意したのに、なぜ取りにあらわれなかった」

「ついでに殺し屋まで用意されてはね。うかうか行けないのも、当然でしょう」

「どうして、そんなことを……」

「なにもかも、お見とおしなんですよ。変な小細工を、なさらぬよう。今夜はフェアにお願いしますよ」

「わかった」

その夜、場所を墓地に変え、青年はうまいぐあいに大金を手に入れた。相手も観念したのだろう。妨害はなかった。帰ってみると、友人の幽霊が待っていた。

「ついに、やったな」

「ああ。なんとかね。ところで、この金はどうしよう」

「山分けにしよう。しかし、こっちはもらってもしようがない。ぼくが成仏するよう、お寺へでも奉納し、お経をあげるのに使ってくれ。あとの半分は、きみの好きなように」

「もう成仏してしまうのかい。なにも、そう急ぐことはないだろう」

「ああ、やつの最後をみとどけるまでは、こうしているつもりだ」

「よし、それなら、張り切って、もっといじめてやるぜ。だんだん面白くなってきた」

青年は一日おきぐらいに、経理部長に電話をかけた。

「たしかに受け取りましたよ」

「これで、文句はないわけだろう」

「ありますね。わたしまで殺そうとなさった件が、残っています。友人についてのことは、しばらく忘れてさしあげますが、殺し屋に関する電話でのお話も、録音してテープが残っております」

「なんだって……」

「まだまだ、つづくのです。それとも、警察に自首なさいますか。あなたは善良なる部下に、ありもしない罪を押しつけ、殺してしまった。極悪犯人なのですよ。そのうえ、発覚を防ぐため、会社の金を持ち出し、さらに殺人を重ねようとした。あの程度の金で、すむわけはないでしょう」

「ああ、なんということ……」

ため息が伝わってくる。

青年は夜にやってきた友人の幽霊に言う。

「というわけだ。自首するだろうか。それとも夜逃げかな。いずれにせよ、こんな電話をつづけたら、会社にはいられなくなるだろう」

「いいきみだ。いろいろと、ありがとう」

「きみのためだし、こつもわかってきた。ますます楽しくなってきたよ」

そんな電話をくりかえし、何日かたった夜、またブザーが鳴った。青年は友人の幽霊かと思ってドアをあけると、見なれない五十すぎの男が立っている。

「どなたです」

「やっと、つきとめましたよ。電話でさんざんおどかされ、金をゆすり取られた経理部長が、このわたしですよ」

「よくここが……」

「あれこれ悩んだあげく、前途と家族の名誉とを考えて、一切を清算しようと、ビルから身を投げたのです。死ぬと、なにもかも事情がわかり、まず、ごあいさつにと、ここへあらわれたのです」

「ははあ、死んだばかりというわけですな」

そいつは、うらめしさを全身にただよわせていた。こうなると、説明されなくても幽霊とわかる。青年は言った。

「ここへ出現するのは、おかどちがいでしょう。あなたは、自業自得《じごうじとく》で死んだのです。ぼくは死んだ友人にたのまれて、やっただけ。文句があるのなら、そっちへ。や、あいつはすでに死んでいるし、これで成仏してしまったというわけか」

「あなたさえいなければ、万事うまくいっていたはずなのに。それに、あなたには、わたしの姿が見えるらしい。波長が合うんでしょう。ちょうどいい。出現しがいがあるというものです。これから毎晩おじゃましますよ」

「冗談じゃない」

「わたしの無念さも、察して下さいよ」

そして、その言葉どおりになったのだった。夜になると出現する。これでは、たまったものじゃない。だれかがそばにいるあいだはいいのだが、ひとりになると、待ってましたとばかりにあらわれる。

青年はあれこれ考え、例の金の一部を使って、対応策をうちたてた。

その部屋への来客は、だれもがこう言う。

「おや、ビデオのカメラと一連の装置を、お買いになりましたね」

青年は、あいつが出現したらすぐさま録画できるよう、準備をととのえた。うまくうつれば、しめたもの。いかなる経過でこうなったかの解説をつけ、テレビ局へ売り込むつもりなのだ。

しかし、そのためか、それ以来まったく出現しない。来客はこうも言うのだ。

「それにしては、あまりお使いになっているようすはありませんね。買ってみたはいいが、すぐあきてしまったのですか」

「いや、そういうわけじゃあ、ないんですがね」

話したって、だれも信じないだろうし、信用されたとしたら、あまりいい気分ではない。経理部長の死に、少しは関連してはいるのだ。だまっているに限る。しかし、こんな装置に、そんな作用もあるとはねえ。

過去の人生

そこは、細長いつくりのバーだった。カウンターがあり、なかには男性のバーテンが四人ほどおり、お客の注文に応じる。女性サービスを売物としていなかった。そのかわり、落ち着いたムードで、高級な酒がそろっていた。

その男は、常連のひとり。週に二度ほどやってきて、なるべく奥の席につき、ひとりで静かに飲むのだった。三十五歳ぐらいで、会社づとめであることは、一目《ひとめ》でわかる。

そのあたりの席を受け持つバーテンは、ほぼ同年配で、いつしか顔なじみになっていた。どの銘柄のを出せばいいかも、わかっている。バーテンはあいさつをかねて言った。

「お客さまのようなかたは、店にとって、とてもありがたいのですよ。大声もあげず、悪酔いもせず、いつもにこやかにお飲みになる。そして、支払いもきちんとなさる」

「この店の風格がいいせいだよ。それに、ここにはよそにない、わたしの好みの酒がある。いい酒を味わうだけが、楽しみだ。悪酔いとは、安酒をがぶ飲みするやつのやることさ」

「優雅でいらっしゃいますね。教養のある紳士は、ちがいますな。育ちがよろしいんでしょうね」

「そんなふうに見てくれるとうれしいが、正直なところ、ほかになんにもとりえのない人間さ。自分でも、こんな平凡な人間はないんじゃないかと思っているよ」

　事実、男はそうなのだった。しかし、バーテンは言う。

「でも、現状に満足なさっておいでなんでしょう。それは、つまり過去になにかいい思い出を、お持ちだからこそで……」

「それが、そうじゃないんだな。まさに、平凡を絵に描いたようなものさ。小学、中学と、学生時代はだらだらと勉強のしつづけ。なにを習ったのか、すっかり忘れてしまった。大学を出てから、いまの会社に入社、これが、堅実きわまる社風というわけ。しばらくして、上司のすすめる女性と結婚。男の子がひとり、女の子がひとり。惰性で生きてきたってとこだね」

「それでも、これまでの人生に、なにか少しは印象的な体験をお持ちでしょう」

「さあ。いくら考えても、なにも浮かんでこないな。父母は地方都市に住んでいて、健在。近親者の死という悲しみさえ知らない。だから、自分が幸福なのか不幸なのかさえ、わからない。ほかの人は、どうなんだろう」

「いちがいには言えませんな。いろいろな人生がありますからね。で、おかわりは……」

「ああ」

男はグラスを口にする。バーテンは聞く。

「お客さまのような人生ですと、ご自分の過去の価値というものを、あまりおみとめにならない」

「そういえるだろうね。確実にあるものは、現在だけさ。会社で変りばえのしない仕事ととりくんでいる時など、これが自分そのものだろうなと思うよ。きょうのそれは終った。いま、こんなふうに酒を飲んでいる。この瞬間だけが現実さ。そして、ほどよい酔い。たしかなことは、それだけさ。きのうのわたしなんか、もはや存在していない。そんなもの、どこにあるっていうんだね」

「そういった考え方も、あっていいわけでしょうね」

バーテンは少し考えこみ、少し笑った。それに気づいて、男は言った。

「なにか異議がありそうだね」

E

「いえいえ、そんなことはありません。でしたら、いかがでしょう。お客さまの六年ほど前の人生を、一週間ほどお売りいただけないものでしょうか」

「なんだって。売るとか言ったが……」

「ご承知いただければ、きょうのお勘定はただにいたしますが」

「よくわからないな。なんだか、悪魔から取引きの話を持ちかけられているような……」

「とんでもありません。それだったら問題は将来のことで、死んだ時の魂が対象なのじゃありませんか。もし、お気に召さなければ、いつでも……」

「なにかの冗談のようだな。たまには変った遊びもしてみたいよ。いいだろう。じゃあ、きょうの代金は、払わないよ。過去なんて、どこかへ消えてしまったものさ。まさか、そんなものが金になるなんて……」

つぎの日、会社で書類を作りながら、男はつぶやく。

「どうもおかしいな……」

それを耳にし、同僚も言う。

「たしかに、いつもとちがうぜ。きみらしくない。仕事の能率もあがらないようだし、時どき、思い出し笑いをしている。ははあ、さては、なにか楽しいことがあったな」

「どうやら、あったらしいんだが……」

「らしいとはなんだい。聞かせてくれよ」

「なにしろ、すばらしい女性なんだ。スタイルがいい。その上に、これこそ美人といった顔がのっかっているんだ。エキゾチックな特徴を持ってね。だから、もちろん男性はほっておかない。はげしい競争となる。ぼくだってご同様……」

「おやおや、きみから、そんな話を聞かされるとはな」

「とても、引きさがる気にはならない。彼女を他人に渡すくらいなら、この世を破滅させてもいいとさえ思った。頭も金も使ったが、要は情熱さ。そのかいあって、彼女の心をとらえるのに成功した。もちろん、ほかのやつらは、くやしがったぜ。しかし、こういう勝利感というものは、なんともいえないいい気分のものだね。だから、思い出すと……」

「いつのことだ」

「もう何年か前の話さ」

「つまり、いまの奥さんのことか」

「そうじゃないよ。結婚したいきさつについては、きみも知っている通りさ」

「そうだったな。すると、別な女性か。結婚は結婚、恋は恋。うまくやっているな。

うらやましいよ。で、それからどうなった」

「そこが、はっきりしないんだな」

「しっかりしてくれよ。そこまで気を持たせておいて、あとは内密だなんて」

不満そうな同僚に、男は言う。

「そこは、ぼくだって同じさ。以前に、そんなことがあったような気がしてならないんだ。ぼくの性格として、そんなことをやるわけはないんだがな。だから、どうもおかしいと言いたくもなるわけさ」

「いやな気分かい」

「そんなことはない。すごく楽しかった夢を思い出しているようなものだな。しかし、妙な気持ちでもある。医者の診察を受けるべきだろうか」

「とくに苦痛を感じないのなら、そう心配することもないんじゃないかな。できたら、ぼくもそんなふうになってみたいよ。このところ、夢もさっぱり見なくなった」

同僚は、いささかうらやましそうだった。

二、三日して会社の帰りに、男はまた例のバーへ寄った。バーテンが話しかけてくる。

「そのご、いかがでございますか」

「じつは、それが、ちょっとおかしな気分でね。つまり、こうなんだ……」

男は同僚に話したことを、くりかえそうとしたが、バーテンはそれを押しとどめた。

「わかっておりますよ。美人とうまくいった思い出でしょう」

「どうして、それを……」

「つまり、お客さまの過去の人生のその部分だけを、わたくしが買い、利用させていただいたというわけで……」

「そうだったのか。しかし、信じられないな。そんなことができるなんて」

「しかし、これでおわかりでしょう。で、ご不快でしょうか。ご迷惑でしたら、もとにお戻しいたしますが」

「そんなことはないよ。どうせ過去のことだ。どう使われても、かまわない。それに、テレビや小説なんかより、ずっと楽しい。リアルだし、秘密めいたところもあるし」

「それは、けっこうでした。わたくしとしても、売っていただいたかいがあるというものです。できましたら、いかがでしょう。大学時代の過去あたりも、もう少しお売りいただけませんか。悪いご気分には、ならないと思いますよ」

「そうするかな」

「では、きょうのお勘定はおまかせ下さい。どうぞ、ご遠慮なく……」

「そうかい。悪いなあ」

男は、いつもより多く酒を飲んだ。

つぎの日、会社で同僚がこぼしていた。

「フランスからの問い合せの手紙が回されてきたが、ぜんぜん読めない。だれか、わかりそうな人を知らないか」

「ちょっと見せてくれ」

男はそれをのぞきこみ、小声で読み、だいたいの意味を言った。同僚は驚く。

「こりゃあ、どういうことだ。いつのまに勉強したんだい」

「大学時代のことさ。ほかの授業にはほとんど出なかったが、フランス語、とくに会話に関しては、かなり努力したよ。あとは、趣味として、手品にかなり熱中したものだ」

「おいおい、そんな話、はじめて聞くぜ。外国語はまるでだめだというので、この部門に回されたんじゃないか」

「きみの言う通り、実際はそうじゃないんだが、どうも大学の時にフランス語をやったような気がしてならないんだ。こないだ話した美人の件のように、夢みたいだが……」

「しかし、いま、たしかに読んだぜ。内容も、おそらくそんなところだろう。本物の才能だぜ。どうなってるんだ。となると、手品も出来るんじゃないかな」

同僚にうながされ、男はポケットからハンカチを出し、簡単な結び目の手品をやってみた。けっこう、あざやかな手つきだった。男はつぶやく。

「大学祭なんかで、よくやったものだ。みな拍手かっさい。あれは、なかなかいい気分だったなあ。感嘆の声が集中するんだから」

「まるで、白昼夢を見ているようだ。どうして、そんなふうになったんだい。教えてくれよ」

「それが、自分でもわからないんだ」

男は内密にしておいたほうがよさそうだと思い、そうごまかした。だれもかれもがこんなことになったら、世の中が混乱してしまう。うまい話は、自分だけにとどめておいたほうがいい。

これも、過去の人生を売ったことの結果らしいのだ。しかし、労せずしてフランス語がわかるようになったし、手品もやれるようになった。好ましい事態といってよかった。

男はバーへ行き、バーテンにお礼を言った。

「すばらしい、おくりもの。ありがとう」

「え、なんのことです」

「フランス語と手品のことさ。あんな才能が身につくとは思わなかったよ」

「あ、そうでしたか。なるほど」

「このままでは、気がすまない。いくらか、謝礼をお払いしたいのだが……」

「それはいけません。お買いしたいと申し出たのは、こちらなんです。その副産物みたいなものですから、お礼だなんて……」

「しかし、それでは、どうもね。なにかないかね、してもらいたいことは」

と男は言い、バーテンが答えた。

「お言葉に甘える形になりますが、できましたら、もう少しばかり、過去の人生をお売りいただけませんでしょうか」

「どうぞ、ご自由に。今度は、少しぐらい、いやなこともまざるんだろうな。しかし、それでもいいよ。なにしろ、すぎさってしまった昔のことなんだ。そして、現在の自分は、まともな会社員なんだ。どうってことも、ないわけだ」

「では、大学を出てしばらくの時期を、売っていただくことにいたしますか。さあ、お好きなだけお飲み下さい」

「悪い気がしてならないが、じゃあ、ごちそうになるか」

男の好奇心は、知らぬまに加速がつきはじめていた。翌日は休日だった。彼は目ざめながらつぶやく。

「ヨーロッパを旅して回っていたころは、楽しかったなあ」

そばにいた妻が聞きとがめた。

「いったい、いつのことよ。あなた、大学を出てすぐ、いまの会社に入ったんでしょ」

「そういえば、そうだな」

「そんな夢を見たってわけね」

「ああ、夢さ。それにしても、すばらしい夢だったな」

しかし、それは、いわゆる夢とはちがっていた。途中から入ってきたものではあるが、彼の過去の記憶なのだ。

大学を出てすぐ就職するのも気が進まず、なんというあてもなしに、ヨーロッパへと出かけた。普通だと所持金がなくなるとともに、あわれな状態におちいるものだが、彼には特技があった。手品。それを東洋風の演出でやってみると、これが意外にうけた。

一流の舞台でとはいかなかったが、地方の小さなナイトクラブでなら、いくらかの収入を得ることができた。

そんなふうにして、各国を旅行して回った。そのかたわら、ほうぼうの古い民謡を採集した。つまり、テープに録音したのだ。

当然のことだが、旅のあいだに、いくつかのトラブルも体験した。しかし、ひとり旅ではありがちなことで、あとになれば、むしろなつかしい思い出だ。

しばらく滞在し、あきれば別な土地へ移り、気がむくままに女性ともつきあい、自由にみちた青春の日々を持てた。夏は北の国ですごし、冬は南の国ですごす。かくして、男は三年間をヨーロッパで生活した。

帰国し、男は民謡のテープを聴きなおした。なつかしい体験が、よみがえる。ふと思いつき、それらのメロディに日本語の歌詞をつけ、知人のいるレコード会社に持ちこんでみた。そして「あんがい面白いな」と言われ、市販されるに至った。

ヒット曲というほどにはならなかったが、それでも予想した以上に売れ、しかも長つづきした。素朴な点が好まれたのだろう。

その日は一日じゅう、男はそれらの思い出をくりかえし味わい、楽しんだ。まあ、悔いのない充実した一時期だったのだなと。現実にはそうではないのだが、売り渡した過去の部分は輝かしいものにかわったのだ。

何日かし、男はまたバーに寄った。バーテンが聞く。

「いかがです、ご気分は」

「じつにいいよ。おかげで、人生とはかくも楽しいものだったかと、あらためて知らされた思いがする。虚像でもなんでも、なにもない灰色よりは、ずっといい。ヨーロッパ各国の国民性について、もっともらしい意見をのべることもできるようにもなったしね」

「ご満足いただけて、ありがとうございます。なにしろ、こちらは売っていただく立場。万一、いやなことになっては……」

「そんな心配もしたのかい」

「そうですとも。現実の過去とはちがうのですから、一種の欲求不満になるかもしれませんので……」

「いや、そんなことはないよ。どうだろう、もっと売ってくれないかな」

と言う男に、バーテンが答えた。

「おまちがえになってはいけません。買うのはこちらなのです。よろしければ、ぐっと近く、一年半ぐらい前の、十日間ほどの過去をお売りいただけるとありがたいのですが」

「いいとも」

「どうぞ、お酒を召し上り下さい」

「では、大いに飲ませてもらうとするかな」

つぎの日、男の頭には、ひとつの事業計画が浮かんでいた。ビルのある階を借り切って、そこで、さまざまな占い師たちに開業させるのだ。つまり、占いの名店街といったようなもの。ジプシー占い、手相、八卦《はっけ》、姓名判断、家相、コンピューター占いなど、なるべく各種をとりそろえる。

なにしろ、複雑な世の中だ。どう生きるべきか迷っている人も、多いにちがいない。いくつか占ってもらえば、ひとつかふたつは、いいことも言われるだろう。幸福のデパートというわけだ。そして、そこには案内係も配置しておく。浮かぬ顔で帰りかける人をみかけたら、一隅に開店させてある、厄はらいをしてくれる術者のところへ連れてゆく。その術者も、種類が多いほどいいだろう。だれも、精神的なある種の解放感を得て帰るのではなかろうか。

この計画を他人に話すと、いいアイデアだ、応援するぜとの返事があった。便利のいい場所でやれば、かなりの人が集るのではなかろうか。潜在的需要は多いにちがいない。成功への自信はある。

「まったく、うまい計画だなあ」

と男がつぶやくと、そばで同僚が言った。

「おい、しっかりしろよ。また、妙な空想にとらわれてるんだな。なにを考えようと勝手だが、会社の仕事の手を抜くなよ」

「それはそうなんだが……」

新しい事業の計画と実行。これはなかなか魅力的なことだった。それにひきかえ、現実のこの単調な仕事はなんだ。もらう給料もしれている。経営の面白さというものも、味わってみたいものだなあ。

二日ほどし、男はバーに寄って言う。

「たのむ。もっと買ってくれ」

「これぐらいが、ちょうどいいのではありませんか。以前にくらべ、一段と活気にみちてきました。生きがいというべきものを、お持ちになれたようですよ」

「そう、はぐらかさないでくれよ。中途半端で、いらいらしてもいるんだ」

「しかし、よくお考えになってからのほうがいいのでは……」

「よく考えたからこそ、たのんでいるんだ。迷惑はかけないからさ。いや、こんな言い方はおかしいかな。どうなってもいいから、もっと過去を買ってくれ。そうだ。いやだと言っても、じゃんじゃん飲んで、金を払わないという方法もあるな」

「そこまでご決心なさったのなら、ご自由にお飲み下さい。ご希望に応じて、過去をいただかせてもらいましょう」

「きまった。じゃあ、乾杯」

男は大いに飲んだ。飲めば飲んだだけ、もうひとつの過去がはっきりしてくるのだ。彼は閉店までそこにおり、ふらつく足で帰っていった。

翌日は、すごい二日酔い。出勤する気にならない。そとへ出たくないという、強い不安感がある。そのおびえは、二日酔いのせいではない。理由はすぐにわかった。断片的だった過去の人生が、すべてつながったのだ。

大学を出てからの外国旅行。レコードによる収入。それはかなりのものだった。その金のおかげで、エキゾチックな美人を、何人もの恋がたきをけおとして、手にした。しかし、結婚してみると、これが大失敗。性格のちがいがわかってくる。彼女は非常な浪費家だったのだ。欲しいとなると、みさかいもなく買ってしまう。その支払いはみんなこっちへ回ってくる。借金までするはめになった。しかし、女は彼の金がなくなると、離婚の書類に判を押して出ていった。やれやれだ。

まあ、いいだろう。新しく出直そうと、占いの名店街の計画を思いつき、実現に熱中する。事業の魔力というべきか、それにとりかかると、去っていった女のことなど、どうでもよくなり、思い出しもしない。

そして、それを進行させた。しかし、不況のためか、資金が思うように集らない。すでに、かなりの借金ができている。中止しようにも、どうしていいかわからない。いままで順調だっただけに、こうなると苦しい。

そんな時、ヨーロッパで知り合った外人と再会した。非合法な仕事だが、手伝ってみないかと持ちかけられる。麻薬の運び屋の仕事だった。

男は、それを引き受けた。手品はかなりの腕前なのだ。税関の目をごまかすのは、そうむずかしくない。実績をあげることで、男は非合法の組織内において、しだいに信用されるようになった。

そして、ある日、かなりの額の金を持ち逃げしてしまったのだ。占い名店街の計画での借金を返済し、顔つきを整形で変え、一時的に身をかくした。一方、組織は血まなこでさがしている。こんなことを許したら、しめしがつかない。それなりの処分をしなければならないのだ。

これが現状なのだった。冷静に考えれば、これはみんな他人のやったことで、自分とは関係ない。しかし、つねにそう割り切ってはいられない。ことあるたびに、過去の人生がよみがえり、びくびくしなければならない。しばしば悪夢を見るようにもなるのだろう。

げんに、どうにも会社へ行く気になれない。組織のやつにみつかったらと思うと、背すじが寒くなる。つかまっておどされたら、なにもかもしゃべってしまいそうだ。

男は夕方になるのを待って、バーに出かけた。なんとか、改善の方向へ持ってゆかなければならない。しかし、あのバーテンはいなかった。

「いつもの人は、どうしました」

男が聞くと、ほかのバーテンが答えた。

「やめましたよ」

「わたしの勘定が、だいぶたまっているはずだが」

「そんなことはありません。なにもかも、すべて清算してやめていったのです。平凡なつとめ先をさがすとか言ってましたよ」

「どんな仕事だ」

「そこまでは聞いていません」

そうだったのか。あいつめ、自分の過去をなにもかも、こっちのととりかえて消えてしまいやがった。いまは、組織につかまったらという不安もなく、のんびりとしているのだろう。かりに、つかまって痛めつけられても、人ちがいでしょうと平然と答えられるのだ。くそ。そのぶんだけ、こっちはいやな思いを押しつけられたのだ。

どうすればいいんだ、と男は考える。そして、やがて思いつく。もとはといえば、売買でこうなってしまったのだ。だれか適当なやつをみつけ、そいつの過去を買ってしまえばいい。以前と同じとはいかなくても、いまのよりはよくなるだろう。とにかく、過去の人生は平凡なものに限るのだ。

さいわい、やつはごく最近までの人生を、押しつけていった。占いの名店街の一隅におく、厄はらいの術者とつきあっている時に、そのやり方の知識も得た。それを使えばいい。こっちはだまされてもおり、どうやればいいかのこつも、わかっている。よさそうな部分を少しずつ持ち出し、おりをみて、いっぺんに押しつければいいのだ。

ところで、どこで網を張るかだ。こんなバーがいいだろうか。それとも、会社員相手の金融業に臨時でやとわれようか。いずれにせよ、カモをみつけて現状を抜け出すのは、それほどむずかしくはないのではなかろうか。

人員配置

「ことしもまた、そろそろ、あの人選にとりかかるとするか」

と部長が言い、おれは答えた。

「どうも気が進みませんね。まったく、こんないやな仕事は、ありませんよ」

「そう言うな。職務と割り切るんだ」

おれの所属は、人事部。ほかの部門だと、部長の下に課長があり、係長などの役つきもいたりするが、この人事部だけは例外、部長の下には、おれともうひとりの同僚の、二人だけ。つまり、合計三人で仕事をしているのだ。

ふん、たいした会社じゃないなと思われるかもしれないが、さにあらず。全社員を合計すると、数千人にもなる大企業なのだ。

となると、計三人でよく手が回るなということになるが、それをおぎなってくれるのが部屋のほぼ四分の一を占めている大型コンピューター。おれと同僚は、その分野を専攻して入社したのだ。これがいかに高性能かを、知りつくしている。だから、配置転換されることはありえない。

人事部長など、なくったっていいように思うこともある。しかし、独立した部門となると、責任者がいなければならず、わが社独自の方針というものもあり、その指示をする者も必要となってくるわけだ。

ここでは、課長までの人事を扱う。正確には、人員配置というべきかもしれない。社員ひとりひとりの、入社試験の時の成績から、現在までの勤務状態の詳細にわたるすべてのデーターが、ここに記録されている。

一方、どのような部門のどのような職種がどんな人物を求めているかも、これまたすぐに答えが出せるしかけになっている。それだって、刻々と変化しているのだ。

その二つを組み合せ、どの社員をどこに移せばよりよい状態になるかをきめるのが、このコンピューターだ。もちろん、働くのは人間だから、仕事ぶりがいつも同じとは限らない。

しかし、その時には自動的に注意信号が表示に出て、その当人にとってよりふさわしい職種に移されるのだ。精密検査と再検討で、われわれも確認する。まさに、理想的なシステムというべきだろう。

ただし、課長以上の人事となると、コンピューターとは関係なく、役員会議で決定される。理屈抜きで肌の合わない性格的な点とか、社への忠実さ、協調性、外見の印象、意志の強弱。そういった人間的な面を含めての総合的な判断となると、やはり日常の仕事ぶりを観察している上司たちにまかせたほうがいいのだ。これまた、理想的なシステムというべきだろう。

そんなわけで、何千人もの社員にもかかわらず、この部門は三人でいいのだ。そして、わが社はうまく運営され、かなりの業績をあげている。

部長が重ねて言う。

「さて、問題の人選にとりかかろう。特殊スイッチを入れ、最良の組合せを出してくれ」

「わかっていますよ……」

おれは、それをやった。たちまちのうちに、人名と職種のタイプされたカードが出てきた。念のためにと、同僚がもう一回コンピューターを動かす。出てきたカードを照合すると、同一の文字が記入されていた。それを渡すと、部長は目を走らせて言った。

「これが、最良の配置というわけか」

「はい。時期までは算出できませんが、百パーセント、お望みの事態が発生するはずです。下請けの業者から多額なリベートを取って問題を起すか、使いこみをやるか……」

「そんなとこかね」

「あるいは、とんでもない女性関係で、週刊誌の記事にされますか。場合によっては、傷害事件をひきおこすかもしれません。つまり、そのカードの人物は、その職種に絶対にむいていないのです。一時的にはうまくゆきますが、決して長つづきしません」

「そうあって、ほしいものだな」

「なりますとも。マイナスの最良の組合せなのですから、酔っぱらいに大型トラックを運転させ、細い山道を走らせるようなものです。データーにはいままでの勤務状態から逆算した、性格の特徴も入れてあるのです。やがて無理が出てきて、大失敗をやるか、ストレスがたまって爆発するか、不祥事となるわけです」

「そういえば、前回のやつは、暴力団員ともめごとを起したな。その前の人物は自殺だった。そして、その前のやつは産業スパイになって、わが社の秘密を他社に売りやがった。あれは予想外だったなあ。発覚がおくれて、かなりの損害をこうむった」

「この場合の人物の、そのごの勤務状況については、注意信号が出ないしかけになっていますからね」

「そうだ。仕方のないことだ。ストップをかけては、意味がない。では、このカードを総務課にまわすか」

部長が電話連絡をすると、総務課の若い女子社員がやってきて、封筒を受け取る。

「あら、また、どなたかが、よりふさわしい職場へ移るんですのね」

と彼女は言いながら出ていった。普通の場合のそれと、形式上はまったく変らないのだから、そう思うのも当然だ。

「考えてみれば、あのカードに書かれた人は、気の毒なものですね。できるものなら、行ってなぐさめてやりたくなりますよ」

と言う同僚を、部長はたしなめた。

「おいおい、それだけは厳禁だぞ。そのために、きみたち二人には、特別な給料が支払われているのだ。よそでしゃべろうとしてみろ。ただの退職ではすまない。いまの家庭生活を、めちゃくちゃにしたくはないだろう」

「どこまで本当なんです、そのお話」

「ためしてみるかね」

「やりませんよ。いまの収入で、充分に満足しています。それに、こんな楽な職場はありません。まったく、悪魔に魂を売り渡したようなものです」

「少しは口をつつしめ。何千人に対して、いいことをしているのだ。その代償として、年にひとりのことじゃないか。つまり、何千分の一というわけだ」

そう言う部長に、おれは聞いた。

「それだって、なくそうと思えば、なくせるんですよ。せっかくの、このコンピューターです。扱う者にとっては、どうもいい気分じゃありませんね」

「どうやら二人とも、この季節になると、少しおかしくなるな。感傷的になる。わたしは毎回、この本質を説明しなければならなくなる。いいか。なにもかもうまくいっては、いかんのだ。大吉は大凶に通じるという言葉もある」

「聞いたことはありますがね」

「わが社は、何千人もの社員で構成された大企業だ。そのすべてが完全無欠に進行したら、ぶきみとは思わないかね」

「みごとに訓練のゆきとどいた軍隊。そんな感じを受けるかもしれませんね」

「そうそう、そこなんだよ、問題点は。つまり、とんでもないことをしでかしてくれるやつが、必要なんだ」

「それだったら、コンピューターの性能を落すという方法もありますが」

「いやいや、そうはいかん。装置は、あくまで完全でなければならないのだ。それに、何千分の一だけ正確さを落すなんて、不可能だ。また、その方法では、ある期間をおいて、不祥事をやるやつを発生させてくれない」

「そんなにも、不祥事は必要なんですか」

「そうだとも。企業には、絶対に必要なんだ。それがなかったら、信賞必罰ということが成立しない。みなから、その感覚が失われてしまう。悪事をして、退職金なしで、厄はらいのような形でほうり出される。そういう例が年に一回はないと、社員の気分がひきしまらない。きみらは、ここで特殊な仕事をしているからわからんだろうが、一般の社員の立場になって考えてみろ」

「たしかに、なにも起らなかったら、だらけてしまうかもしれませんね。机を並べて仕事をしていた同じ課のやつが、ある日、とつぜん懲戒免職になる。どきりとし、これでいいのかと、仕事や日常生活を反省しようとするでしょうね。つまり、みせしめ、一罰他戒というわけですね」

「刺激といいかえてもいい。組織というものは、ひとつの生命体でもある。なにかしらの刺激は、あったほうがいいのだ。それに、管理職の連中にとってもね」

「それは、また、なぜです」

「自分の部下は、だれもかれも忠実で仕事熱心と思っている。それはいい状態とはいえない。つねに、部下の行動に注意していてもらいたいのだ。いつ内部から、裏切り者が出るかもしれない。その緊張感は、きわめて重要なものなのだ。敵を知り、おのれを知れば、百戦あやうからず。このおのれという言葉には、部下も含まれている。そんな部下がむやみに出ては困るが、出現の可能性のことは、心のすみにおいといてもらいたいのだ」

「そういえば、銀行員の使いこみなんかで、まさかあの部下がやるとは思わなかったと、新聞でよく上司が弁解してますね」

「徹底した人事管理に安住していたか、もともとルーズなのか、そのどっちかだ。さいわい、わが社はこの特殊システムのおかげで、ほどほどの不祥事は起るが、とてつもない大事件にはならないでいる」

しゃべりながら部長は、いささかとくいげだった。おれは聞いてみた。

「しかし、不祥事はまあいいとして、新聞や週刊誌にのるのは、いい気分じゃありませんね。社員の全部が、そう見られてるようで」

「いや、そこがいいのさ。十年間まったくの無事故という、ドライバーがいたとする。そろそろ、なにか起すんじゃないかと思わせないかね。わたしが同乗するのだったら、二、三回ぐらい軽い事故を起している人のほうを選ぶね」

「そういえば、わが国の最高クラスの名門大学生にも、時どき変なのが出ますね」

「大学当局としては、困ったことをしてくれたと頭の痛いことだろうが、大衆の受け取り方はちがうんだ。そりゃあ、あれだけの人間がいるんだから、出るのが当然とね。もしひとりも出なかったら……」

「訓練のゆきとどいた、非人間的な軍隊です」

「そうなったら、ぶきみなものだよ。企業は、聖人の集団ではないんだ。たまに新聞の社会面や週刊誌に出るようなことをやるやつがいてこそ、みな親しみを持ってくれる。もちろん、その当座の悪評は、いいものじゃないよ。しかし、うわさはまもなく忘れられ、あとに残るのは、あの企業にはどこか人間味があるという印象さ」

「そうかもしれませんね」

と同僚がうなずいたので、部長は調子づいて話をつづけた。

「いいか、ここを忘れては困るよ。矛盾しているようだが、対外的な信用も高まるってことだ。集金をごまかした社員を処分した。この事実が大切なんだ。あの会社は内部にもきびしいと、だれもが感心してくれる。社内で適当に処理し、うやむやにしない。しっかりした会社だと、みとめてくれるわけだ。株価の高いのも、その信頼のためだ。優秀な大学卒が集るのも、そのためだ。あやまちは、完全には防げない。しかし、発生したら、それに対し、ただちに改善のための処置をとる。それを実行していることを、示さなければならないのだ」

「まさに、いいことずくめですね」

「きみたち二人とも、内心じゃあ、よくわかっているんだろう。コンピューターもたしかにすばらしいが、こういう微妙なこととなると、人間が手を加えなくてはならない。小さなスキャンダルを、少しずつ出すことが必要なんだ。これが完全であってみろ。存在が忘れられかねない。あるいは、なにかものにしてやろうと、週刊誌のルポライターがかぎまわり、火のないところに煙を立てようとする。そして、そういう記事のほうが、はるかに迷惑なんだ」

「でしょうね」

「また、総会屋だって、ぜがひでも弱みをつかもうとする。全社員の一挙一動が、観察されることになる。この対策への注意のほうが、さらに大きなエネルギーのロスだ。きみらも、この仕事の時には、たしかに働いたという気分になっているはずだよ。いつもの単調な仕事とは、ちがうんだから」

と言う部長に、おれは少し反対した。

「いいえ、すっきりはしませんよ。理屈じゃあ、わかっています。会社のために必要なことであり、現実にも成果をあげている。しかし、わたしだって、人間です。さっきのカードの人のことだって、考えてしまいますよ。家庭もあるでしょうし、将来への期待も持っているでしょう。それなのに、前途に不運が待ちかまえているとも知らずに、新しい部署で仕事をつづける。天災なら仕方ありませんが、その不運は、わたしたちが作ったんですからね。今夜は、酒をがぶ飲みします。あしたは二日酔いになりますから、そのおつもりで」

「そりゃあ、まあ、そうかもしれん。しかし、忘れては困る点が、もうひとつあった。彼の不運を作り出したのは、われわれじゃない。正しくは、そのコンピューターなんだ。それに、企業とは非情なものなんだ。いや、企業ばかりじゃない。社会というものの自体がそうなんだ。もとはといえば、社会を構成している人間そのものが、非情だからかもしれない。そんななかで、被害を最少にくいとめるため、犠牲をささげなくてはならないんだ。逆の場合を、考えてみてくれ。何千人のための、ただひとりなんだ」

「自分自身に、よく言い聞かせますよ」

議論をつづけたら、きりがないのだ。

おれと同僚とは、その日の帰り、バーへ寄って酒を飲んだ。話題は当りさわりのない、べつなこと。よそであのことをしゃべったとばれたら、どんな目に会わされるか、わかったものじゃない。

酔ってくると、おれたちはいいきげんになった。いずれにせよ、数千人より成る社のために、ひと仕事やってのけたのだ。また、犠牲になるやつについては、名前しか知らない。顔も知らず、交際もなかったということは、気楽でもある。

部長が言っていたように、おれたちは、もしかしたら、心の底で楽しんでいるのかもしれない。すでに何回もやってきたので、最初のころのようなやましさも薄れている。かくして会社は安泰なのだ。あのコンピューターは、わが社の守護神。そして、おれたちは神官なのだ。

それでも、何日かはもやもやが残るが、やがてそれも消える。何千人もの社員の仕事ぶりについての新しいデーターを、記録装置に補充してゆくという作業。けっこう忙しくもある。企業は生きているのだ。

一年ほどたった。

部長が、おれたちに言った。

「わたしは今回、役員会で昇進が内定した。常務取締役になる。ここの部での仕事とも、お別れだ。きみたちは、いい部下だった。後任の部長とも、うまくやるようにたのむよ」

「どんな人でしょう」

「それは、いずれ総務部から知らされるだろう。部長の人事は、役員会できめることになっているのだから」

そして、やがてその通知があった。

なんと、コンピューターが一年前、犠牲のためにと出したカードに記入されていた名前の人ではないか。おれたちはあわてて、この新部長の入社以来のデーターを消した。内規によって、部長クラス以上の人の過去は、人事部長でさえ知るべきでないということになっているのだ。

新しい部長が部屋に入ってきて、席についた。にこやかな表情をしている。あいさつをかねて自己紹介をしたおれたちに、部長は言った。

「だいたいの仕事の内容は知っているが、なにか、わが社だけの特別なこともやるらしいな。せっかく、この部をまかされたのだ。少しは改良してみたいものだ。しかし、まず、いままでのことを知らなくてはならない。金庫のなかに、そのやり方についての書類が入っているはずだが……」

同僚もそうだろうが、おれはからだがむずむずした。ここにある、高性能をほこるコンピューター。その指示によって、あれをやったのだ。それなのに、その人物は不祥事を起さなかったばかりか、部長としてここに回されてきた。

それをきめたのは、役員会だ。こんなことが、あっていいものだろうか。どこかが狂っている。コンピューターか、新しい部長か、役員会の連中か。

この新しい部長、どんな改良を考え出すのだろうか。

めぐまれた人生

その三十歳ちかい青年は、アパートの一室のなかで、ベッドに横たわっていた。時たま目をあけ、うすよごれた天井をぼんやりと眺めるが、ふたたび力なくとじてしまう。彼は、自殺をしかけているといってもよかった。

正確には、自殺とはいえないかもしれない。ここ二、三日ほど、高熱で苦しんでいたのだ。いまは、熱はいくらか下ったものの、ぐったりとしている。食欲がなく、ずっとなにも食べていない。そのため、食事をとりに出る体力もなくなっていた。

「めんどくさい。もう、なるようになれだ……」

と青年はつぶやく。このまま食べずにいれば、さらに衰弱し、状態は悪くなる一方だ。もっとも、気力をふりしぼれば、窓に物をぶつけるかして、助けを求めることもできるだろう。しかし、彼は生きる意欲を失っていた。ろくなことはないのだ。いっそ、このまま死んでしまったほうが……。

この青年には、身よりがなかった。まだ独身で、兄弟もなく、父母は五年ほど前に、相ついで死去した。その時点では、彼はさほど困窮していなかった。かなりの遺産を相続し、あれこれ注意をされることなく、なんにでも自由に好きなように使えた。

その金額は、むりをしなければ当分のあいだ生活に困らないと思えるほどだった。しかし、彼は若かったし、そういう確実で平凡なことは性に合わなかった。なにか事業をやり、さらにふやし、豪華に遊ぶ。人生は、そうでなければならないと思った。そして、レジャーに関連した会社を作り、その計画を進めた。

しかし、こういうことを成功させるには、かなりの社会体験がいる。青年にはそれがなく、経営の才能もなかった。いい協力者がいればまだましだったが、まわりに集ってくるのは、金めあてのやつらばかり。

「すばらしい構想でございます。さすが、頭の切れる青年実業家……」

おだてられ、いい気になって、派手に遊び回った。そして、ある日、気がついてみると、あれだけあった遺産が、ほとんどなくなっていた。あわてて計画を中止し、すべてを整理した。わずかな金しか残らなかった。彼はそれでごく小さな喫茶店の権利を買い取り、ひとりで運営し、そのあがりでなんとか食いつなぐという生活におちぶれてしまったのだ。

そして、そのあげく、この病気だ。前途になんの希望もない。ぼろ喫茶店をつづけてゆくだけだ。就職しようにも、履歴書の書きようがない。会社を作ってつぶしてしまいましたでは、やとってくれるところなど、あるわけがない。

「面白かったのは、遊び回っていた、わずかな期間。その記憶だけで、これから先を生きてゆくなんて……」

青年は横たわったまま、弱々しくつぶやく。この世への未練を失っていた。

その時、そばに人のけはいがした。目をあけると、古風な服装の老人が、枕もとにいる。その顔には、ぜんぜん見おぼえがない。しかし、やってきたからには、なにか用があるのだろう。青年は聞いてみた。

「どなたです」

「ま、いまは、そんなことなど、どうでもよろしい」

しわがれた低い声だった。

「なにしに、ここへ……」

「たぶん、こんなことだろうと思って、やってきたのです」

それを聞き、青年はあれこれ想像してから言った。

「ははあ、死神だな。ぼくを迎えに来たというわけだろう」

「とんでもない。お助けに来たのですよ。元気をお出しなさい。このままでは、死ん

でしまいますよ」

「しかし、生きていたって、ろくなことはなんにもない」

「からだが弱っているから、そんな気分にもなるのですよ。早いところ医者を、と言いたいところだが、この近所の先生はむやみと注射をしたがる。このたぐいの症状だと、かえってこじらせかねない。気力をひき出さなければならない。適当な漢方薬がありますあれだったら、すばらしくきく。それを入手してきますから、ここでお待ちになっていて下さい」

「外出するどころじゃないよ」

老人の姿は消え、やがて戻ってきて言う。

「さあ、これをお飲みなさい」

成分はなんなのかわからないが、青年はすすめられるまま、グラスのなかのあたたかい液体を飲んだ。

「気のせいかもしれないが、なんだかすっきりした。食欲も、わいてきたようだぞ」

「そうでしょう。近所の料理屋に注文しておきました。まもなく、出前がとどくでしょう」

それは配達され、青年はきれいにたいらげた。久しぶりの食事だった。老人は言う。

「これから、ぐっすり眠ることです。薬を作っておきましたから、目がさめたら、あたためてお飲み下さい。さらに食欲が出るはずです。たっぷり、お食べ下さい。栄養がつけば、身も心も活力にみちてきます。二日もたてば、お店へ出られましょう」

「いろいろと、すみません」

青年はお礼を言い、老人は静かに帰っていった。

老人の言葉どおり、青年は回復にむかい、やがて店にも出られるようになった。何日か閉店していたので、内部はほこりっぽくなっている。青年は掃除をし、ガラスをふく。

「それにしても、あの老人はなにものだったのだろう。最初は死神かと思ったが、いやに親切にしてくれ、おかげでぼくも元気になった。この喫茶店の常連でもないようだ。どこで知りあったのか、まったく思い出せない。幻を見たような感じだが、なにか薬を飲ませてくれたことは、はっきりおぼえている」

店をあけ、お客が入りはじめた。しかし、小さな店で、とくに繁盛というわけでもない。こんな毎日を、くりかえしていかなければならないのか。青年は、働けるようになったことを、とくにありがたいとも思わなかった。

何日かし、店内にお客がとだえたひととき、あの老人が入ってきた。青年は迎えて言う。

「これはこれは。いつかはお世話になりました。お礼を言おうにも、どこにお住まいなのかわからなかったので。まず、コーヒーでも一杯……」

「いや、おかまいなく。わたしは、そういうものは飲みませんので。とにかく、お元気になって、なによりです」

「おかげさまで……」

老人は、店内を見まわして言った。

「どうも、ぱっとしませんなあ。ここの場所は悪くないのです。内部の改装を、おやりなさい。豪華にするのです。そうすれば、一杯の定価は高くしても、お客はふえますよ。こういう店は、ムードを売ることを考えるべきです」

「ええ、よくわかっています。しかし、それには資金がいりますし、その余裕がないのです」

「この店の権利を担保にして、借りればよろしい。それに関し、いろいろと助言をしてあげたいが、わたしを信用なさるかな」

「もちろんです。なにしろ、あの時、あのままだったら、死んでいたでしょう。そこを助けて下さった。おっしゃる通りに、いたしましょう」

「では、お教えしましょう。いいですか。へたなところから借りると、あくどく利息を取られます。しかし、この先を少し行ったところのビルのなかの金融業者は、わりと良心的ですよ」

「看板が出てますね。そこで借りて、店内改装を……」

「急ぐことはありません。その金で株を買うのです。メモして下さい……」

これこれの銘柄を買い、何日目に売る。べつなのに買い換え、いくらになった時に売り、さらにもう一回、同様なことをやる。

「……これで、かなりのもうけになるはずです。まず、借りた金をかえし、あまった金で店内を改装する。運営資金も残ります。もっとも、あなたにやる気があればですが」

「やってみますよ。どうせ、いったん死にかけた人生だ。それに、こんな毎日では、生きている気もしない」

「じゃあ、せいぜい、がんばることですな」

老人は帰っていった。またも名前を聞き忘れたことに気づき、青年は反省した。しかし、いまの話、うまくいくのだろうか。少しの疑いはあったが、青年はやってみようという気になっていた。

資金は借りられ、指示どおりにやってみると株はいずれも値上りし、店は見ちがえるように高級になった。売上げも利益も以前よりはるかにまさる金額となり、まさに順調そのものだった。

女子の店員をやとおうかと思ったが、そう広い店でもないし、人件費を払う余裕もなさそうだ。しばらくは、ひとりでつづけることにした。けっこう忙しくなり、青年は老人のことを忘れかけた。

半年ほどたち、青年はあることで頭を痛めはじめた。このところ、犯罪組織の下っぱらしい若い男が出入りし、いやがらせをするようになったのだ。警察に届けようとも考えたが、やり方が巧妙で、制止のしようもない感じだった。へたをすると、逆に文句をつけられかねない。

そんな悩みをかかえているところへ、店を売らないかとの話が持ちかけられた。はは あ、承知するまで、いやがらせをつづけるというわけか。まったく、たちの悪いやつらだ。

そこへ、いつかの老人があらわれた。

「なにか、お困りのようですな」

「あ、これはお久しぶり。おかげさまで、これだけの店になりましたが、ちょっと問題がおこりましてね……」

青年は事情を話した。老人はうなずく。

「それは、やっかいですな。では、わたしが話をつけてきてあげましょう」

「ご好意はありがたいけど、そう簡単にはいかないでしょう。相手がよくない。警察にたのんでも、こう非合法すれすれでは、乗り出してくれないでしょうし」

「おまかせ下さい。その、店を買いたいという人のところへ、今夜にでも行って、手を引くようたのんでみます」

「そんな実力を、お持ちなんですか。いったい、あなたは……」

「まあ、結果をごらんになってから……」

そして、驚いたことには、その通りになったのだ。店を売れとの話は立ち消えになったし、いやがらせの若い者もこなくなった。青年は老人の力を、あらためて認識した。なんという、すごい人だ。そして、親切だ。それなのに、まだ、名前すら聞いていない。

店は、平穏と繁盛をとり戻した。青年は少しましな部屋へと住居を移した。また、定休日を作り、その日には遊ぶ余裕も持てるようになった。そろそろ、結婚でもするか。男だけでは、なにかと不便だ。美人ではなくても、あいそのいい女性だったら、店の仕事も手伝ってもらえるだろう。そして……。

夢がふくらんでくる。しかし、結婚するとなると、もう少しましなマンションにでも越したいものだ。できれば、店も拡張したい。それには資金がいる。

青年は、かつて株でもうけたことを思い出した。あの時は、じつにうまくいった。もう一回、あれをやってみるか。店を担保に金を借り、いつかの銘柄の株を買い……。

そこまではよかったのだが、あとはさんたんたる展開となった。買われるのを待っていたかのように株は下り、あわてて売ってべつな株を買うと、それも下る。その株を担保に金を借りて……。

泥沼にふみこんでしまった。金利はふえるし、損は重なるし、このままでは店を手渡さなければならないし、それでもまだ借金が残る。そうなったら、もはやどうして生活したらいいのだ。えらいことに、なってしまった。

働く気もなくなり、アパートの部屋でぼんやりしていると、あの老人がたずねてきた。青年は言う。

「もう、合わせる顔がありません。あれだけお世話になりながら、いまは身動きとれなくなってしまったのです」

「あなたは、性格的にだらしのない人ですな。めったに、いないでしょう」

「心の底から、反省しています。これからは、まじめになります。こんなことを言えた義理ではないのですが、できましたら、もう一回だけ、お助け下さい」

「しかし、こんな調子だと、わたしとしても助けがいが……」

「そこをなんとか。ぜひ、ぜひ、お願いします。このままだと、債権者から逃げ回り、どこかで野たれ死にです」

「まったく、困ったやつだな。しかも、今回の借金は大きい。尋常な手段ではだめだ。いま、つごうのつく金は、いくらある……」

青年は店の売上げ金など、手もとにある金を計算して合計を出した。

「これだけです」

「もう少しいるな。この部屋のなかの、金になりそうなものを売り払え」

「はい。そして、どうすればいいので……」

「東南アジア行きの飛行機に乗れ。カジノで、ルーレットをやるのだ。用意ができしだい、すぐ出発しろ」

「どうやったら勝てるのです。自信がありません」

「むこうで落ち合おう。やり方はそこで教えてやる。わかったか。その気があるのなら、早くとりかかれ」

「はい」

いやもおうもない。ほかに、どうしようもないのだ。老人の言うことは、いままですべてうまくいった。だめでもともと。もう、こうなったら、いちかばちかだ。いざとなったら、殺すなりどうなり、勝手にしてくれだ。

目的地へ着き、ホテルに入ると、老人があらわれた。青年はふしぎがって聞く。

「どうやって、ここへ……」

「そんなことより、さっそくとりかかるのだ。カジノへ行こう」

ルーレットの台の椅子にかける。青年はどうやればいいのか、まるで知らない。しかし、そばで老人がささやいてくれる。

「赤へ置くんだ。そうそう」

それは的中した。

「五へかけろ」とか「左はじの列だ」とか「八に少しかけて、たまには損をしろ」とか「ゼロだ」とか「少し休め」

つぎつぎと教えてくれる。チップは、みるみるふえてゆく。

三日ほど滞在し、青年はルーレットでもうけつづけた。ホテルへ戻ると、老人が言う。

「そろそろ警戒されはじめたぞ。切り上げ時かもしれない。もうけは、どれくらいになった」

計算してみると、かなりの額だった。

「こんなにもうかるとは、夢にも……」

「わたしがついていたからだぞ。そのことを忘れるな。ひとりでやれば、大損をする。いつかの株の時と同じだ」

「きもに銘じました。今後、決して、ひとりでもうけようなど考えません」

「それだけの金があれば、借金はすべてかえせるだろう」

「はい、その上、いくらかあまります。お礼として、いくらか受取っていただきたいのですが」

「いや、そのご心配は無用。金など、わたしには必要ない。とにかく、難局を切り抜け、けっこうなことだ。わたしは酒をやらんが、乾杯をしていいぞ」

青年は酒を注文し、飲んだ。一時はどうなるかというありさまだったのが、いまやすべての悩みが消えたのだ。夢のようだ。酒は、なんともいえぬいい味だった。生きかえった思い。青年は聞く。

「ずっと気になっていたのですが、あなたは、この世の人ではないようですね。奇跡としか思えないようなことを、おやりになる」

「そう見えるだろうな」

「福の神なんですか」

「それだったら、もっと、にこやかな顔つきをしているよ」

老人に、そんな表情はなかった。

「そうすると、わざと目立たないかっこうをしているが、正体はタイムパトロール員かなにかですか」

「聞いたことのない文句だが、なんのことだ、それは」

「過去を変えさせないため、未来からやってくる特殊任務をおびた人のことです。たとえば、もし、アインシュタインが若くして死んでいたら、科学の発展は大はばにおくれて……」

「おいおい、自分がそんなに重要な使命を持って、生きていると思っているのかね」

「まさに、おっしゃる通りです。将来、ぼくが偉大なことをやるとは、とても思えない。となると、宇宙人ですか。ぼくを助けて、地球支配の作戦を進める目的で……」

「それだったら、もう少しまともな人間を目標に選ぶだろうよ。おまえは、どうしようもない性格の持ち主だな。単純であり、すぐいい気になる。そこをなおさないと、どうにもならん。わたしとしても、助けがいがない。成仏しようにも、これでは、いつになるか見当もつかん」

成仏という言葉で、青年はやっと気づいた。

「そうでしたか。すると、亡霊のたぐいなんですね」

「まあ、早くいえば、そういうことになる」

「すると、いつか強引に店を買い取ろうとした人にあきらめさせたのも、暗い夜中にその人のそばに出現して……」

「まあ、そんなとこだな」

「それにしても、なぜ、ぼくのことを、これほどまで助けて下さるんです」

「死んだおやじさんのことを、考えてみろ」

「あ、そうでしたか。おやじとくらべられては、恥じいるばかりです。おやじは大金をもうけ、あくどいやつとの評判だったようですが、少しは他人の面倒も見ていたのですね。あなたのような人が、あらわれた。ありがたいことだ、心からお礼を申します」

頭を下げる青年に、老人は苦笑して言う。

「礼はいい。それより、店は処分し、なにかまともな職につくよう心がけたらどうだね。収入は少なくても、安定した生活のほうがいい。早く結婚することだ。そして、子供を……」

「なにからなにまで、ご注意いただき、身にしみました。ご忠告にそうよう、つとめます。もうこれ以上、ご迷惑はかけません。父の名にかけて誓います」

「そうしてもらいたいね」

亡霊の老人は、どこかへ消えていった。青年の耳には聞えないが、こう、にがにがしくつぶやきながら。

あの青年、まったく手数をかけやがる。対照的ではあるが、あのおやじと同じぐらい、とんでもないやつだ。

生前のおれは、うまく仕事をやっていたのだ。祖父からつづいた、三代目の商店。信用もつき、内容も充実し、なにもかも順調だった。そこまではよかったのだが、あいつのおやじを店員として採用し、信用したのがいけなかった。表面まじめそうによそおい、裏では巧妙に書類を作成し、おれからなにもかも奪いやがったのだ。

もちろん、裁判で争ってもみた。しかし、実印の管理までまかせていたのが、いけなかった。おれもひとがよかったともいえるが、だれだってひっかかるだろう。悪質な弁護士と打合わせ、どうにもひっくりかえせないように、陰謀を進めていたのだから。やつにひどい目に会わされた連中は、ほかにも多いらしい。

なにもかも失ったおれは、首をつって死んだ。そして、その時、こう念じたのだ。このままではすまさないぞ。因果応報を思い知らせてやる。おまえをのろい殺したのでは面白くない。おまえの血をひく、なんの罪もない三代目にたたって、悲惨きわまる目に会わせてやるぞと。

それで亡霊となったわけだが、二代目があんなやつとはねえ。おやじの遺産をたくみに運用し、繁栄と幸運にみちた家庭を築かせる。そこにおいて、三代目を不幸のどん底に突き落す。かくして、劇的な幕切れ。それを眺め、おれは、ざまあみろと成仏する。その予定が大きく狂った。しかし、とにかく三代目を作ってもらわなくては……。

青年は帰国の飛行機のなかで、ある女性と知りあった。いやな過去を忘れるため、外国を旅行して回り、いま帰るところだという。二人は話しあい、意気投合した。

「また、お会いしたいものですね」

「あたしもよ」

恋がめばえ、二人はしばしば会うようになった。青年は言う。

「喫茶店のような不安定な商売は、機会があったらやめ、地道な職業につきたいと思っているんです」

「そうなさいよ。あたしの父、地位は低いけど、大会社につとめているの。製品発送の部門で、人を求めてるとか言ってたわ。最初はつらいかもしれないけど、すぐになれるでしょうし、まじめにつとめれば、いずれは楽な部署へも移れるんじゃないかしら」

「きみが望むんだったら、ぼくはそうするよ。店を売れば、小さな家ぐらいなら買えるだろう。確実な生活をしたいんだ」

「あなたって、いいかたね」

そんなわけで、二人は結婚し、青年は会社づとめの生活となった。

何年かがたった。

出勤しようとする亭主。二歳ぐらいの男の子を抱いた母親が、言っている。

「ほら、パパはお出かけよ。にこにこして、お送りしましょうね」

「かわいいもんだな。まったく、父親になってみて、はじめて人生の生きがいを感じたよ。いっしょうけんめいに働かなければとね」

「それ、本心からなの。あたしに気を使って、おっしゃってるんじゃないの……」

「信じてもらえないのかな。ぼくのかわいがりかたが、まだ不足なのかい」

「そんなことはないわ。でも、あなたが熱心にすすめてくれた上でとはいえ、この子は、人工授精によるものなのよ」

「そのことは、もう二度と口にするな。きみの子であり、きみはぼくのワイフなんだ。つまり、ぼくの子であることに変りはない……」

　ぼくは子供が欲しかったし、医者はぼくを調べて、子供のできにくい体質だと言った。だから、なんの不満もない。それに、少なくとも、ぼくよりはましな性格だろう。この子は、何回もぶざまな失敗をすることなく成長し、いい人生を持つだろう。むしろ、このほうがいいのだ。

「わかったわ。あなた、事故に会わないよう気をつけてね。あたしと、坊やのために」

「ああ。そう心配するなよ。ぼくには守り神みたいなものが、ついているんだ」

　事実、亡霊の老人が、期待しながらどこからともなく見まもっているのだ。しかし、その期待はいつ実現することか……。

出勤

月曜日。

会社の仕事が終ったあと、おれは同僚と喫茶店でコーヒーを飲み、少し時間をつぶす。すぐに帰ろうとすると電車が混雑するので、それを避けるためだ。おれは言う。

「きょうは部長、なにやら考えこんでいた。いやな予感がするなあ。ああなると、たいてい、まもなくおれに、難問がまわされるのだ」

「しかし、考えようによっては、それだけきみが信頼されてるってことじゃないか。これまで、そのたびに、なんとかこなして成績を上げてきたじゃないか。そろそろ、昇給するんじゃないかな」

「そうだと、いいんだけど……」

おれはそこを出て、駅で電車に乗る。一時間ほどかかるが、仕方ない。それをがまんしなければ、わが家には帰れないのだ。車両はしだいにすいてきて、座席にすわれるようになる。それから二十分ほど。下車。

駅ビルのなかの小さな店は、まだ開店していた。おれは、クレヨンのセットと画用紙とを買う。バスへ乗ってもいいのだが、一駅の距離だ。歩くことにする。やっと、わが家に帰りつく。おれは玄関を入りながら言う。

「ただいま」

「あら、お帰りなさい」

ワイフが迎えてくれる。白いブラウスにブルーのスカート、グレイのカーディガン。派手ごのみでないのがいい。

「パパ……」

坊やが声をあげて、おれに飛びついてくる。抱きあげてやりながら、おれは言う。

「いいもの、買ってきてやったぞ」

クレヨンと画用紙を渡してやる。

「わあ……」

坊やは歓声をあげ、自動車らしきものを描きはじめる。二歳とちょっと。まったく、かわいいさかりだ。

「ほかのものに描くんじゃないぞ。壁なんかに描いたら、おしりをひっぱたくからな」

しかし、それは守られないだろう。まだ幼いのだ。ワイフが聞く。

「すぐ、お食事になさる……」

「その前に、ふろにでも入るか」

汗を流し、さっぱりしたあと、ビールを飲む。そして、食事。ワイフが言う。

「あなた、会社でのお仕事のぐあい、どうなの」

「まあまあだな。同僚は、そのうち昇給するだろうと言ってくれたがね」

「そうなると、いいわね」

食後、坊やをひざの上にのせて、テレビを見る。そのうち、坊やは眠ってしまう。おれはそのあと、ビデオで映画を見る。見はじめると、つい終りまで見てしまう。もはや眠る時間。

まったく、なんということもない一日だ。


火曜日。

朝、ワイフに起される。

「ねえ、そろそろ起きる時間よ」

簡単な朝食のあと、おれは家を出る。

「じゃあな」

「あなた、いってらっしゃい」

とワイフが言い、坊やもそれをまねる。

「パパ、いってらっちゃい」

「おとなしくしてるんだよ」

会社へ着く。部長がおれを呼んで言う。

「わが社の作っている、このスナック食品の販売を、一段と向上させなくてはならないのだ。なにかいい計画はないか。考えてくれ」

「はい。しかし、まず、いままでの販売状態の調査資料に、目を通してからでないと……」

「それは当然だ。だれかにそろえさせよう。できたら、なるべく早く案を作成してくれ。たのむよ」

やっかいな仕事だが、いやとはいえない。資料がつぎつぎととどけられ、おれはマークをつけたり、メモを取ったりする。その日はずっと、それに費される。おおよそのことは、頭に入る。ひと息ついて時計を見ると、一時間ほどオーバータイムになっている。そろそろ帰るか。

地下鉄で三十分。駅から地上へ出て、徒歩で五分。そのマンションが、おれの住居だ。エレベーターで七階へ。さして広くないが、会社から近いというのは、便利なものだ。

ブザーを押すと、なかからドアが開けられる。

「いま帰ったよ」

「あたしも、少し前に帰ったばかりなの」

とワイフが言う。おれたちは、とも働きなのだ。ワイフは家具のデザイナーで、その分野では才能をみとめられている。

「食事はどうしよう」

「どこかへ、食べに行きましょうよ。たまにはおしゃれをして、ドレッシーな服を着て、豪華なレストランへ行ってみたいわ」

そういうものかもしれない。ワイフが着がえをするあいだ、おれはシャワーをあびる。そして、いっしょにレストランへ行く。そこでは音楽の演奏もなされており、おれたちは食後、ダンスをする。子供のないおかげで、こういう楽しみが味わえるのだ。

マンションへ戻ると、ワイフが言う。

「あたし、そのうち二週間ほど外国へ行くかもしれないわ。最近の流行を見てこようと思うの」

「それも必要だろうな」

「留守中に、浮気をしちゃいやよ」

「心配するな。ちゃんと帰ってきて、ここで眠るよ。このベッドは、きみがデザインしたものだ。この上に横たわれば、きみのことで心がいっぱいになるさ」

おれたちはベッドに入り、眠る。


水曜日。

ワイフが、おれを突ついた。

「おさきに。朝食は、テーブルの上に用意してあるわよ」

「すまんな」

おれは、さらにうとうとする。会社が近いと、朝ゆっくりできるので助かる。

出勤。部長に呼ばれた。

「どうだね、進行状況は」

「だいたいのようすは、わかりました。これまでにも、いろいろと努力がなされているのですね。宣伝とか、小売店サービスとか」

「ああ。そこを、もうひと飛躍させたいのだ。きみの才能をみこんでのたのみだ」

「なんとか考えてみます」

おれは自分の机に戻る。しかし、名案なんて、簡単に出てくるものではない。おれは資料を読みなおし、いままで売行きの伸びなかった原因はなにかと、検討する。まったく、やっかいな仕事だ。

あれこれ考えつづける。しかし、いっこうに新しい計画は思い浮かばない。そのうち、退社時間になる。同僚がおれをさそう。

「どこかで飲まないか」

「いいね。仕事がはかどらなくて、弱っているんだ。こんな日は、気ばらしをしたほうがいい」

ちょっとのつもりが、何軒ものバーのはしごになってしまう。いい気分になり、タクシーに乗り、行先を告げる。走り出してまもなく、おれはちょっと眠る。

「このへんですか」

運転手に声をかけられ、おれは目をあけて言う。

「そう、そこの日本風の家だ」

「けっこうな、お住まいですね」

「ワイフの実家が、金持ちなんでね」

「うらやましいことですな」

その声をうしろに、おれは玄関を入る。和服姿の女が出てきて言う。

「どなたさまか存じませんが、主人はただいま入浴中でございます。なにかの、おまちがえじゃあございませんか」

おれは気がつく。

「あ、いけない。きょうは水曜か。これは、まことに失礼いたしました」

あわてて道に出てタクシーを拾い、駅に急ぐ。さいわい最終の電車にまにあう。こんな時間だと、すわることができる。なんとかして、かなり郊外の自宅に帰りつく。

「いま帰ったよ」

ワイフは起きて待っていてくれた。

「きょうは、いやにおそいのね。それに酔って……」

「会社のつきあいでね。むずかしい仕事を押しつけられ、頭を痛めてるんだ。ああ、腹がへった。なにか食うものはないか」

「しようがないわね……」

ワイフは、なにか作ってくれる。ふとりぎみだが、気のいいやつなんだ。

「すまん。おまえの、そういう母性的なところが好きなんだ。いつも、やさしく迎えてくれる」

「そんなおせじより、あなた、もっとしっかりなさいよ。すぐに甘えたがるでしょ。自信をお持ちなさいよ。会社で全力をつくすことね。そのあとは、あれこれ悩んだりせず、なにもかも忘れて……」

「それもそうだな」

腹もはったし、本格的に眠るか。

木曜日。

「さあ、起きないとおくれるわよ」

「やれやれ……」

「もう少し会社の近くへ、越しましょうか」

「いや、これぐらい郊外のほうが、空気がよくて、からだにはいいんじゃないかな。一長一短さ。それに、こう遠いと、電車の席にすわれる。途中から乗って立ったままより、考えようによってはいいといえるさ。ここの住居に満足しているよ。じゃあ、行ってくるからな」

おれは、通勤の電車のなかでも眠る。

会社へ着く。おれは例の問題と取り組む。部長も気にしているらしいが、へたにせかせたりすべきでないと、だまっていてくれる。

「うん、そうだ……」

おれは、つぶやく。アイデアが浮かんだのだ。四角な容器。そのデザインを、変えたらどうだろう。ひとつずつでも買ってもらえる。そして、ここがみそなのだが、四つを一組にして糸をかけてまとめたのも作る。デザインが重要なのは、そこなのだ。このセットでも、ひき立つ印象のものにする。どうせ使うものだ、ついでにまとめて買っておこうかという気を、消費者におこさせるのだ。

おれはその案を整理し、部長に説明する。

「という方法は、どうでしょう」

「なるほど、名案だ。いままでは、販売方針だの宣伝だのの方面からばかり考えていた。四つをセットにするというのは、盲点だった。部長会議にかけることにする。よくやってくれた」

「組合せた時のデザインが、重要なんです」

「たしかに、そうだな」

部長にほめられ、おれはほっとする。きょうは、まっすぐ帰ることにしよう。

「ただいま」

玄関を入って、声を出す。日本風の凝った作りのわが家は、帰りつくと落ち着いた気分にさせてくれる。

「お帰りなさいませ」

和服姿のワイフが、迎えてくれる。おれの服をぬがせ、やはり和服を着せかけてくれる。庭の手入れも行きとどいていて、ここには精神的なくつろぎがある。

五歳になる娘がやってくる。

「おとうさま。はい、お茶とお菓子」

「ありがとう。いい子だね」

成長したら、美人になるんじゃなかろうか。たのしみだ。確実におれの子なのかどうかはわからないが、この家に帰っている限りは、あれがおれのワイフで、これがおれの子なのだ。

やがて、食事の用意がなされる。ワイフが言う。

「会社のお仕事で、さぞお疲れでしょう。お酒をおつぎいたしますわ」

日本酒を飲みながら、おれは話す。

「やっと、いいアイデアが出て、部長に提出した。たぶん採用になるだろう」

「よろしゅうございましたわね」

「それにしても、おまえはよくできた女だなあ。おれはいつも自慢しているんだ。資産家の娘なのに、わがままなところがぜんぜんない」

「父の趣味で、あたし日本舞踊を習いました。お師匠さんに、きびしく仕込まれたせいかもしれませんわね」

「それに、生け花、お茶。ひとわたり身につけている。また、子供のしつけもちゃんとしている。なにからなにまで、申しぶんない」

「あなたを愛しているからですわ」

「となると、その期待にこたえ、昇進をめざさなければならないな」


金曜日。

「いってらっしゃいませ。くれぐれもお気をつけてね」

「ああ」

会社へ着く。部長が言う。

「きみのアイデア、なかなか好評だぞ。社長も乗り気だ。近日中に、実行へのくわしい検討会議が開かれる」

「やりがいがありました」

「よく、あんなことを思いついたね」

「帰宅しますと、ワイフがいろいろとはげましてくれたり、デザイン感覚を教えてくれたりしますのでね」

「そうか。そうだろうな。奥さんに、よろしく伝えておいてくれ」

会社の帰りに、おれは同僚をさそう。

「どこかで飲まないか。作成した計画を部長がほめてくれたんだ」

「それはよかったな。祝杯をあげよう」

こういう日の酒は、まったくうまい。適当な酔い心地で、帰宅する。海岸ちかくにあるマンションが、おれの住居だ。

「帰ったぜ。少し酔っているが、ちょっといいことがあったんでね」

「いいのよ、酔ってたって。ちゃんと帰ってきてくれさえすれば。どんないいことがあったの。くわしく聞かせてね」

甘い声でワイフが言う。グラマーでセクシーで、とにかく、かわいい女なのだ。

「ゆっくり話すさ」

「じゃあ、もっと飲みながらにしましょうよ。ワインでも……」

「そうするか。まったく、自宅に帰ると、解放感があるな。窓からの港の眺めもすばらしいしな」

「あたしはどうなのよ」

「まず舞台装置。それから主演者。その順でほめたほうが、ひきたつってわけさ」

「音楽も加えましょうね。そして、ベッドの上で乾杯と……」


土曜日。

目ざめたおれは言う。

「おやおや、もう十時だ」

「まだ、いいじゃないのよ」

「あんまり、あたふたしたくないんだ」

十二時までには、出なければいけないことになっているのだ。朝食をすませる。

「じゃあな」

おれはそこを出る。私鉄を利用し、四十分ばかりかかって、自宅へ帰る。安っぽいアパートだが、これで充分。ひとりの生活なのだから。ラジオを聞きながら、部屋の掃除をする。なんということなく、時間がすぎてゆく。休養。夜、ぼんやりとテレビを眺める。酒は飲まない。

日曜日。

人によっては土曜に遊び、日曜を休養日にしているのもあるが、おれはこのところ日曜を自由にすごすことにしているのだ。

午前中、友人と装置を使って碁を打つ。電話線を利用して、遠くはなれた者どうしで、麻雀《マージャン》、トランプ、チェスなど、あらゆる勝負ができるしくみなのだ。二勝一敗。

一時ごろ、おれはそれをやめる。

「もっとやろう」

友人の声が伝わってくるが、おれはことわる。

「ちょっと、約束があるんでね」

外出し、公園へ行く。ベンチで女性が待っている。しばらく前に知りあった、スタイルのいい女の子だ。美人なのに、ユーモアの持ち主でもある。そこが気に入り、このところ日曜には、いつも会うようになったのだ。

「会うたびに、きれいになるようだな」

「ありがとう」

「できたら、結婚したいなあ。だけど、きみみたいなすてきな女性を、男はほってはおかないだろうな」

「でもないのよ。みなさん、そうお思いになるせいか、あたしがどこか抜けてるのか……」

「可能性ありなのかい」

「ええ。じつはね、水曜と金曜はまだ独身なのよ」

「水曜と金曜ね……」

別れるのなら、どっちにしたものだろう。どっちのワイフとなら、別れやすいだろう。友人の弁護士と相談してみるとするか。金曜のワイフ、おれの帰る前の午後のひとときに浮気をし、それを見た人が証人にでもなってくれれば簡単なのだが。

「なんとか、くふうしてみるよ。で、土曜はどうなんだ」

「もちろんあいてるけど、よくないんじゃないかしら。土曜のご夫婦って、あまりうまくいってないみたいよ。そこまでむりすること、ないんじゃないの」

「それもそうだな」

「結婚できるといいわね。あたしたち、案外いい夫婦になるかもしれないわ」

いっしょに食事をし、早めにアパートに帰る。栄養剤を飲んで、十時ごろに眠る。あしたから、また、会社や家庭での忙しく変りばえのしない一週間がはじまるのだ。

会員になって

会社での終業時間が近づいたころ、受付の女の子から連絡があった。

「ご面会のかたが、おいでになりました」

「だれかな」

玄関のホールへ出ると、三十五歳ぐらいの初対面の男がいた。身なりは、きちんとしている。おれは聞いた。

「どんなご用ですか」

「ちょっと、個人的なお話がしたくて、うかがったしだいです。もうすぐ、お仕事も終りでございましょう」

「ああ」

「お待ちしております。そのへんの喫茶店ででも、二十分ほどお時間を……」

そんなわけで、おれはそいつと会話をするはめになった。えたいのしれない印象も受ける。なにを言い出すのか、知りたい気になったのだ。やつは言う。

「あなたさまは、四十五歳。何人かの部下を持つ課長。そろそろ部長という段階。管理職として、なにかと大変でございましょう」

「そりゃあね」

「そこでございますよ。緊張の連続は、よろしくありません。気ばらしが、必要でございます。疲れた頭は、もみほぐさねば……」

「それはそうだがね。しかし、なにかと用件があってね」

「じつは、わたくしども、会員制で楽しいことをやっております。それへのご入会を、おすすめにまいったしだいでして……」

「ははあ。レジャークラブかなんかだな。けっこうなことだと思うよ。しかし、時間をもてあましているわけじゃない。仕事、仕事なんだ。そりゃあ、働きすぎはよくないよ。問題は、そこなのさ。わかるだろう」

「中堅の管理職がどんなにご多忙か、お察しした上でございます。つまり、これは普通のとちがうのです。出かけるというたぐいでは、いや、出かけはしますが、そのために時間をさくということは、ないのです」

妙なことを言い出したものだ。おれはコーヒーを口にしながら、首をかしげた。

「わけがわからんな。会員制というからには、集ってなにかをやるわけだろう。その

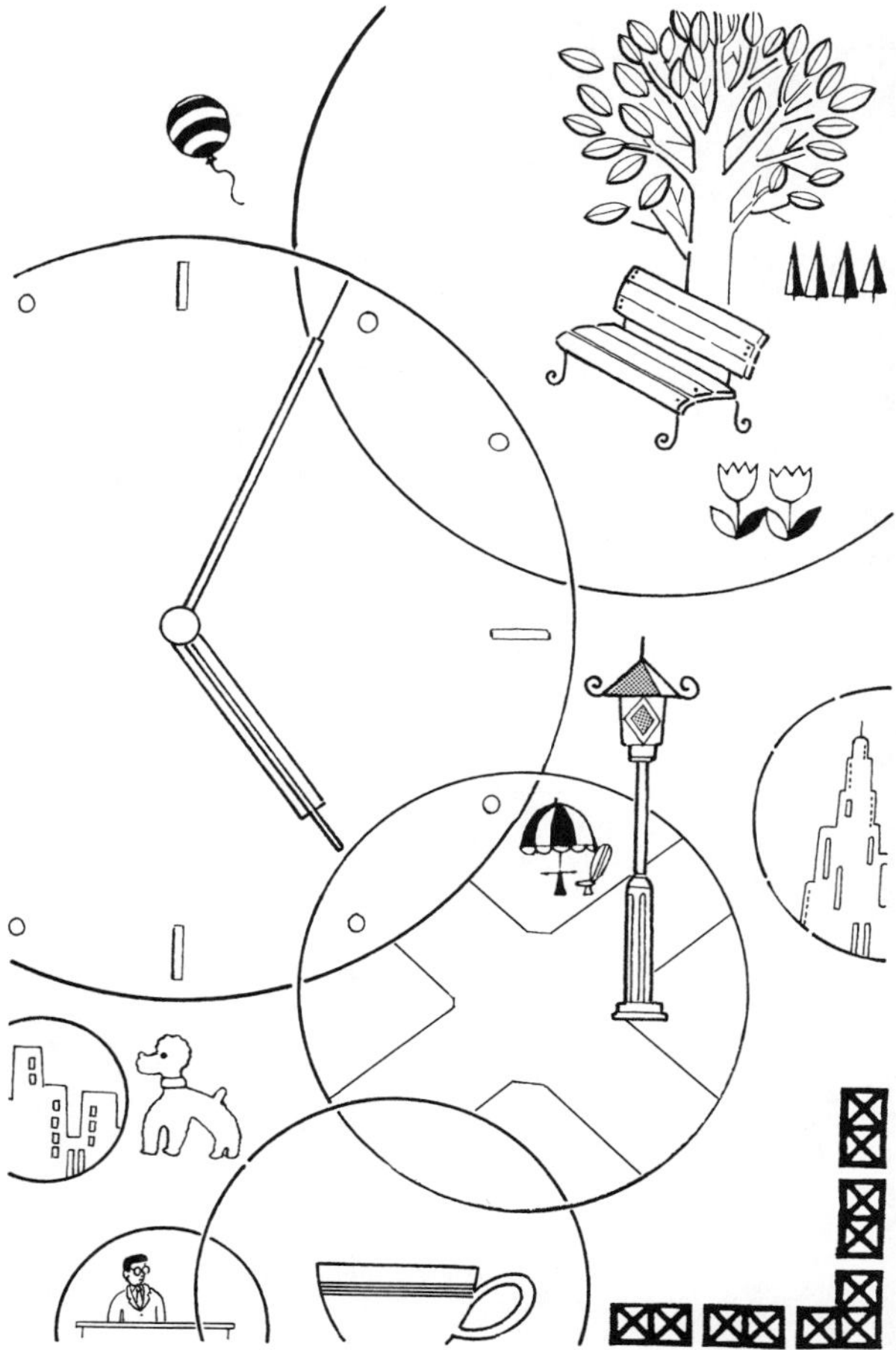

ためには、時間のやりくりをしなければならない。どういうことなんだ」

「そこでございますよ。なにかをなさりたいが、時間がない。そういうかたのための、新しいものでございます。つまり、気の合った者どうしで、夢を共有して楽しむというグループなのです」

「なるほど。そんな方法が開発されたのか」

「はい。しかし、この会員の選定が、なかなかむずかしい。顔みしりのかたが入ってては、解放感を味わえません。上役、取引き先、そんなのがまざっていては、よくないのです。そこで、この会社については、あなたさまを、まず第一候補にえらんだのです。ご近所のお知り合いも、入っておりません。そういったところまで調べた上で、おすすめしているのでございます。お気が進まなければ、どなたか会社の、べつなかたをおさそいしようと……」

「うまい勧誘方法だな。なんとなく、入りたくなってくるぜ。しかし、精神衛生上、たしかにいいものなんだろうな」

「会員となられたみなさまに、ご満足いただいております。おたしかめになってごらんになりますか」

そいつはカバンのなかから、会員のリストを出して見せた。電話番号も記してある。

だれかに電話をして、聞いてみたらというのだろう。ざっと目を通したが、知っている名前はひとりもなかった。しかし、これだけの会員がいるからには、いいかげんなものではないということだろう。

「その必要は、なさそうだな」

「入会金についてですが……」

やつは金額を言った。安くはないが、払えないほど高くはない。

「そのほかには」

「それだけお支払いいただければ、いいのでございます。毎月の会費といったものは、請求いたしません。また、入会して一週間以内でしたら、お気に召さぬ場合、全額おかえしいたします」

「なんだか面白そうだな。ためしに入ってみるか。たしかに、遊びも必要なんだ。それに、夢のなかのことだから、ワイフも文句を言うまい。会員になってみるかな」

「たぶん、入ってよかったと、お感じになられると思いますよ」

「しかし、金を払っただけで、夢の共有が簡単に出来るのかい」

「わたくしどもと契約している、医者がおります。その人によって、カプセルを体内に埋めこんでもらうのです。眠りにつくと、そのカプセルの弁が自動的に開き、薬が作用しはじめるというわけでございます」

「なるほど、またも科学の一進歩というわけか」

「ぼやけた、つまらぬ夢を見るより、ずっといいんじゃないでしょうか。いままでは、むだにすごしていた時間の活用というわけでございますよ」

「なにごとも、体験だ。入会しよう」

翌日の会社の帰り、おれは金を払い、やつに案内された医者の手で、カプセルが体内に埋めこまれた。これで会員というわけか。

その夜、おれは眠りについた。

まもなく、人のけはいを感じて目をあけると、そこにやつがいるではないか。おれは聞いた。

「なんでそこにいる。どうやって入った。ドアの鍵《かぎ》は、ちゃんとしてあったはずだが」

「これが、その、夢なのでございますよ」

「妻子はどうした……」

おれの住居は、中規模の団地のなかの、三階の一室。あたりを調べてまわるのに、そう時間はかからない。しかし、ワイフも十五歳になるむすこも、その姿はどこにもなかった。急に不安になり、おれは声を強めた。

「……やい、どこへ連れていった」

「どなたさまも、最初はそのことで、おさわぎになる。よろしゅうございますか。これは夢なのです。あなたは会員、ご家族は会員でない。そのためです。おめざめになれば、いつもの日常に戻れるというわけでございます」

「これが夢かねえ。いやにリアルだ」

「カーテンと窓をあけて、そとをごらんになって下さい」

おれはそれをやり、とにかく、びっくりさせられた。そとは夜のはずなのに、太陽の光がふりそそいでいる真昼ではないか。それに、異様な点がもうひとつ。窓の下は団地の住民専用の、ちょっとした広場兼公園になっているのだが、いま、そこに人影ひとつ見えない。昼間なら、主婦か子供がいつも何人かいるはずなのに。おれはつぶやいた。

「まさに夢だ」

「おわかりいただけたようですね。さあ、出かけましょう」

うながされるまま、おれは一階におり、広場へ出た。ひっそりとしていて、ぶきみな感じさえする。おれは聞いた。

「この団地の部屋のなかは、いま、どうなっているんだ」

「どこも、からっぽ。家具はありますが、人はだれもいません。この世界で存在しているのは、会員だけ。つまり、この団地には、あなたさまのほかに会員はいないのです」

「そういうわけか」

「あそこに、オートバイを用意しておきました。お乗りになれますか」

「ずっと以前、少しだけ動かしたことが……」

「それは、けっこうです。こつでしたら、すぐ思い出せますよ」

「これ、どこから持ってきたんだ」

「店からですよ」

「盗んできたのかい」

「借りてきたのですよ。現実には、だれにも損をかけていません。なにしろ、ここは夢の世界なんですから。さあ、走らせますか」

おれたちは新品のオートバイへ乗り、並んで走った。どこの店もしまっており、歩いている人を、ぜんぜん見かけない。おれは聞いた。

「あそこに、ショーウインドウがある。あのガラスをぶち割って、なかの商品を持ち出したら、どうなる。だれも、追ってはこないんだろう」

「おっしゃる通りです。しかし、夢のなかで財産を作って、どうなります。つまりませんよ。楽しみに必要なものだけを、借りて使えばいいのです」

「それもそうだな。さて、少しスピードを出すか」

おれたちは、そうした。なにしろ、道はがらすきなのだ。こんな光景は、いままで夢にも見たことがなかった。外出禁止令の布告でも出せば、こうなるかもしれない。しかし、昼間にそれをやるなど、現実には不可能だ。

「お気に召しましたようですな」

「ああ、じつにいい気分だ」

そのうち、開いているレストランが見えてきた。やつは言う。

「あそこが、たまり場のひとつです。つまり、あの店の経営者が会員というわけです。ひと休みしましょう」

オートバイが何台かとめてある。なかに入ると、十人ほどの男がいた。いずれも三十五歳から五十歳ぐらい。おれを案内してきたやつは、連中に言った。

「こちらが、新しく会員になられた……」

おれは頭を下げ、みなはそれぞれ自己紹介した。もっとも、名前だけだ。現実の世界での職業など、どうでもいいらしい。店の主人が言った。

「食べたいものがあったら、なんでもどうぞ。ただですよ。わたしも、少しも損をしないのですから。もっとも、食べたからって、目がさめてからの栄養にはなりませんがね」

だれもかれも白いヘルメットをかぶり、スポーティな服を着ている。おれも、どこからか借りてきて、そうするか。だれかが、おれに言った。

「ヘルメットなら、余分なのがありますよ」

「ありがとう。しかし、なんで、こんな暴走族のまねなんかしているんです」

「あんなのと、いっしょにされては困りますよ。暴走族は他人に迷惑をかけることで、快感を得ている。われわれは、そうじゃない。自由な空間で、のびのびと動き回る楽しみを味わっているのです。おいやですか」

「そんなことはありません。正直いって、すばらしい気分ですよ」

「ね。まさに自由そのものでしょう。信号なんか、気にすることもない。会員どうしが交差点でぶつかる確率なんか、ゼロみたいなものです。会員優先、会員天国。好きなように動き回れるのです。入会金を出しただけのことは、あったでしょう」

たしかに、その通りだ。おれはうなずく。

「もっと早く入会したかったと思いますよ」

「地図をさしあげておきましょう。普通の地図ですが、ここに、ふとい線が書き込んであります。この線のあたりには、近づかないように。そのむこうへは行かないように。線のこっち側なら、どこまでだって行けるんです。遠くまで行って、ホテルへ入りこんで泊ってもいい。サービスは受けられませんがね。しかし、なるべくなら、自宅へ帰って眠ったほうがいいようですよ。そのほうが、めざめた時に疲れが少ない」

「そういうものですか」

おれは入会してまもないらしい四十歳ぐらいの男と、オートバイで適当に走り回った。無人の道路。ぶつかってくるものは、なにもない。いいかげん走って、自宅へ戻り、眠りにつく。

すなわち、そこで目がさめるというしかけなのだ。妻子もちゃんと、そばにいた。窓から見ると、団地の人たちが動いている。

会社へ出勤しなければならない。建物のそばのオートバイは、消えていた。

こんだ電車に乗って、会社へ。そのころには、夢のことなど、ほとんど忘れかけている。しかし、混雑が気にならない。夢のなかで、ストレスが発散してしまったからだろう。仕事の能率も、いつもよりあがる。

かくして、おれは会員としての特権にひたれるようになった。眠れば、つまり夢の世界でめざめれば、オートバイは前と同じ場所に出現し、それを自由に乗り回せるのだ。

ある時、おれは自分の会社へも乗りつけてみた。だれもいない。好奇心から、上役の机の引出しのなかをのぞきこんでみた。しかし、書類はなにもかも白紙。この世界で、この会社の社員は、おれしか存在してないのだ。

会員たちは、みないいやつばかりだった。そんな性格のを選んで会員にしたためか、人間、商売や利益をはなれてのつきあいとなると、だれでもそうなるものなのか。

おれは、気がついて聞いてみた。

「そういえば、会員に女性がいないな」

「それでいいのさ。美人が入ってきてみろ。奪い合いになったりし、現実の世界と大差ないごたごたがはじまるよ。酒を飲みたいとか、勝負事をしたいとか、そんな気は起らんだろう。いずれも、現実の世界でできることだからさ。あっちでできないことが、こっちでできる。そこが会員の特権というわけさ」

「それもそうだな」

そのうち、おれの好奇心は高まった。オートバイで走り回るだけでは、ものたりなくなる。あの、地図に引かれた線。なぜ、近づいてはいけないのだ。行ってみよう。おれはそっちへとむかった。

「やめろ、とまるんだ」

横のほうから、何人かの声がした。わけがわからないまま、おれはスピードを落す。そのとたん、前方で銃声がし、何発かの弾丸が鋭い音をたてて、そばをかすめた。おれは急カーブでオートバイのむきを変え、もとへと戻った。ビルの横へと曲り、いま声をかけてくれた人に聞いた。

「いったい、これはどういうことなんです」

「ははあ、新入会員だな。走り回るのに、あきてきたのだろう」

「ええ、そうです」

「男の遊びって、たあいないものさ。まずスピード。そして、銃さ。この本性は、子供の時から変らないものらしい。これはつまり、戦争ごっこ。むこうとこっちにわかれ、どんぱちやってるってわけさ。しかも、本物の銃を使ってだから、こたえられない。こんなことは、現実の世界じゃできないぜ」

「面白そうですね。やってみたい。どうしたらいいんです」

「地図を貸しな。このビルさ。そこが本部になっている。隊長もいる。そこの指揮下に入ればいい」

「行ってみます」

おれはそのビルに入った。部屋の壁には大きな地図がかけられ、何カ所かに印がつけられている。いかにも司令本部といった感じで、中央の机のむこうに、隊長らしいのがいた。おれは申し出た。

「戦闘に参加させて下さい」

「オートバイのほうは、さんざん乗り回したようだな。しかし、銃の扱いかたは、まだだろう。その練習を、してもらわなければならない。好きなのを選んで、しばらく腕をみがいてからだ」

そして、となりの部屋へのドアをあけた。なんと、拳銃《けんじゅう》だの、ライフルだの、マシンガンがずらりと並んでいる。

「すごい。いったい、どこからこんなに……」

「その専門店からさ。拳銃は、警察から借りてきた。マシンガンは自衛隊。それ以上の武器は、おたがい使わないことになっている。大砲なんかぶっぱなしたんじゃ、ちっとも楽しくないものな」

「そうですね」

おれは拳銃とライフルをもらい、使用法を読みながら、練習をはじめた。オートバイでちょっと行けば、人かげのない無人の街だ。だれに遠慮もなく、ぶっぱなせる。好きなものをねらえばいい。

まず、ライフルをやってみた。ポストだの、信号灯だのをうってみる。犬や猫がいてくれればと思ったが、あいにくといない。人間以外の動物は、会員になれないのだろう。鳥さえいないのだ。しかし、いい気分だ。こんなところで、ライフルがうてるんだから。

つぎにおれは、拳銃をはじめた。しだいに上達し、なにか動いているものをうちたくなった。オモチャ屋から自動車だの飛行機だのを持ち出し、それを動かして標的とした。

そのうち、おれはオートバイを走らせながらうつことも、やってみた。仲間と競争し、街路樹にどっちがたくさん命中させるかに熱中した。

まさに、西部劇。いいとしをしてだが、夢のなかだからこそできる面白さだ。立体テレビができたって、こうはいかないだろう。

おれが腕前を見せると、隊長は言った。

「だいぶうまくなったな」

「前線へ出していただけますか」

「いいだろう。こっちのヘルメットは白。むこうはブルーだ。その区別を忘れるな」

「本当に、殺していいんですか」

「これは夢なんだ。当人の命がなくなるわけじゃない。だからこそ、やれるのだ。といって、遊び半分では困るぜ」

「わかっています」

おれは命令を受け、前線に配置された。境界線では、ビルを取ったり取られたり、一進一退の戦いがくりかえされていた。ビルのかげ、屋上、窓、ちょっとでも頭を出すと、びゅんびゅん弾丸が飛んでくる。神経が敏感になり、胸が高鳴る。遊び半分といった気分になど、なれたものじゃない。

何日目かに、おれは身のかくしかたをくふうし、窓からねらって、敵のひとりを倒した。むこうのビルの屋上にいたやつが、崩れるようにのびてしまったのだ。

つぎの日、おれは目ざめて、すがすがしい気持ちだった。会社の仕事も、いやに順調に処理できた。夢のなかで、敵をひとりやっつけたのだ。現実では、とても許されないことだ。

相手がだれやらわからないおかげで、良心もあまりとがめない。うまいぐあいに会員が選んであるってわけだ。それに、現実にはだれも死んでいないのだ。

おれは同僚に話したくてならないのを、なんとかがまんした。話したら、ぜひ入れてくれと言うにきまっている。そして、おれには入会の決定権がないと説明すると、相手はとたんに、くだらんことをやってやがると、ばかにするにきまっている。つまり、それほどすばらしい世界なのだ。

おれは、隊長に提案した。

「こういう戦闘もいいでしょうが、ずっとむこうを遠まわりして、奇襲をかけるというのはどうでしょう」

「そういう作戦もあったな。やってみるか。もう少し複雑な戦いにしたほうが、面白いかもしれない。三人ぐらいで、やってみてくれ」

おれは、仲間たちと準備をした。ライフルを背にし、拳銃をベルトにはさみ、オートバイで出発。安物のギャング映画みたいだが、おれたちはただの観客でなく、登場人物なのだ。

かなりの距離を走り、敵側の内部に入りこんだ。このへんは警戒されていないようだ。遠くに、ブルーのヘルメットのやつをみとめた。ライフルでねらおうにも、オートバイで走り回っているので、やりにくい。

「おい、追いかけて拳銃でやろう」

おれたちはスピードをあげ、まずひとり、つづいてもうひとりをやっつけた。もっとやっつけたい。こうなると、引きかえす気になどなれない。敵の姿を求めて、さらに進む。

そこに油断があったのだろう。小型無線機で連絡がとられたのかもしれない。たちまち、待ち伏せにあった。

ビルの横から何人かが前方にあらわれ、マシンガンを連射しやがったのだ。おれも何発かくらって、オートバイから転落した。だんだん意識がうすれる。

目がさめる。あまりいい気分ではなかった。夢とはいえ、自分が死んだのだから。その日、会社からの帰り、おれは久しぶりでバーへ寄り、気ばらしをし、帰って眠った。

しかし、その夜、おれはあの夢の世界に行けなかった。なんということもない、ただの眠りだった。そして、その次の夜も。もはや、あの夢の世界には行けないのか。

おれは勧誘したやつの名刺をさがし出し、電話した。名を告げてから言う。

「どうなってしまったのだ」

「あ、あなたさまでしたか。いかがでございます。あの夢の世界は」

「すばらしいよ。しかし、おれは敵にやられてしまった。それ以来、あの世界に行けないのだ」

「それはそれは。つまり、あなたさまの、会員としての有効期間が終ったというわけでございます」

「そんな話は、聞いてなかったぜ」

「最初に申し上げては、つまらなくなってしまいます。ご感想として、ご損をなさったとお思いですか」

「そうは思わない。また金を払うから、もっとつづけさせてくれ」

「すぐにとはいきません。どんな楽しいことも、あまりつづくと、どうということもなくなってしまいます。そのうち、またご連絡いたします。しばらくお休みになってからのほうが、また刺激もあるというわけでして」

「そういうものかな」

しかし、どうも、ものたりない。あの会員たちは、いまも好きなように楽しんでいるのだ。それなのに、おれはぼやけたストーリーの夢を見なければならないとは。

あきらめきれず、おれはいつかの医者のところへ出かけた。わけを話す。

「中毒かもしれませんが、あの夢の世界に行けなくて、毎日いらいらしているのです」

「すぐなれますよ。そのうち、どこからか勧誘がきますよ。それをお待ちなさい」

「それが待てないんです。先生、なんとかなりませんか、あのカプセルを」

「あの世界かどうかはわからないが、ひとつだけあります。ある人に埋めこんだが、十日目に出してくれとやってきたのです」

「それでかまいません。ぜひ埋めこんで下さい」

「しかし、あなたも気が変ると、出すのがやっかいでね。薬が切れると、自動的に分解、排泄《はいせつ》されるのですが、カプセルを途中で出すのは……」

「なぜいやになったのか、わけがわかりません。わたしに埋めこんで下さい。出して下さいなんて、決して言いません。代金もちゃんとお払いしますから」

おれは、それをやってもらった。

帰宅して、眠りにつく。

そのとたん、おれは大きな音でめざめさせられた。妻子がいないところをみると、これは夢の世界らしい。カーテンと窓をあける。なんという光景。

団地の建物の壁という壁が、どぎつい色で、前衛的とか称するのだろう、頭の痛くなるような模様でぬりつぶされている。そして、音楽。すごいボリュームで、降りそそいでいる。これはまた頭の痛くなるたぐいだ。

広場には、若者が何人か集っている。やつらには、これがたまらないのだろう。

しかし、とても、おれの好みじゃない。とんでもない夢を、買ってしまった。窓から身を投げようかとも思ったが、いざとなると決心がつかない。カプセルは埋めたばかりなのだ。たぶん、うまくは死ねないだろう。

おれは外出し、薬局をさがした。開いている一軒をみつけた。入ると、そこの若い店員が言う。

「なにをお買いに……」

「睡眠薬をくれ」

「そうこなくちゃあ。いろんなのがありますよ。音楽に共鳴するのなんてどうです。しかも、現実には、なんの副作用もない。当然のことですがね」

「いや、普通のやつがいい。眠れさえすればいいんだ」

「おかしな人ですね」

それを手に入れることができた。

「ついでに、この耳栓《みみせん》ももらってくよ」

部屋に帰り、おれは耳栓をつめ、睡眠薬を少し多めに飲む。なんということだ。当分のあいだ、こんなことをつづけなくてはならないなんて……。

幸運な占い師

その占いの店は、古びた小さなビルの三階にあった。営業は午後からで、占いをやるのは、七十歳ぐらいの老女だった。

彼女は少しおぼつかない足どりで階段をのぼり、部屋のドアのカギをあけ、なかに入って、ひとり机のむこうの椅子にかける。と同時に、いかにも貫録のある、神秘的な、信頼感をそなえた占い師の姿になるのだった。長い年月のうちに身についた動作だった。

「ごめん下さい」

ドアのノックの音につづき、ひとりの女が入ってきた。二十八歳ぐらい。会社づとめらしくも、主婦らしくもない。あか抜けした美しい女性だった。老女は迎える。

「よくいらっしゃいました」

「ここの占いは、びっくりするほど当るという、うわさを聞いたもので……」

「そうですよ。あたしは、お金もうけのために、やってるんじゃない。みなさまがたのために、占ってあげているんですよ。それに、このことが楽しいんです。だから、よく当るのでしょう。いえ、ほかの占い師が、みないいかげんだとは申しませんけどね。まあ、その椅子におかけ下さい」

老女は来客を、机のむこうの椅子にかけさせた。机の上には、水晶球がおいてある。道具めいたものは、それだけだった。

「あたし、みどり礼子っていうタレントなの。歌手が本業だけど、テレビの番組なんかで司会もやってるのよ。ごらんになったことは、ないかもしれないけど」

「いえ、見てますよ、見てますよ。だけど、こうやって直接にお目にかかると、一段とおきれいだね。うらやましくて、ならないよ。若く美しいってことは、いいことだね。楽しくてならない毎日でしょう」

「ところが、そうじゃないのよ。だからこそ、ここへ来たんだわ」

「そうでしたね。ところで、なんですか、その悩みとなっている問題は」

「あたし、恋がしたいの」

「おや、そんなことでしたか。なさればいいでしょう。あなたみたいな人のそばには、いくらでも男が寄ってくるはず。そんな悩みをお持ちとは……」

首をかしげる老女に、相手は言った。

「案外そうもいかないのよ。芸能界の人は、もうたくさん。仕事上でのおつきあいは、いろいろあるんですけど」

「だけど、いつも仕事ばかりというわけじゃないんでしょう。いまなんか、急ぎの用がおありとも思われないし」

「ええ、仕事から解放された時間はあるんだけど、自由に恋愛はできないの。じつは、あたし、二年前から結婚してるの」

「おやまあ、そうでしたね。そういえば、前に週刊誌で読みましたよ。ご主人は、景気のいい中年の実業家だとか。なるほど、すると、ご主人との仲がうまくいっていない……」

占い師の老女は、常識的なことを口にしたわけだが、女の客は大きくうなずいた。

「ええ、そうなのよ。よく当るわね。さすがだわ。亭主は仕事第一で、あたしのこと愛してくれないの。亭主のお金をくすねて、花びんのなかに入れ、へそくりを作ってるんだけど、いっこうに気づかない。はりあいがないくらいよ」

「いっそのこと、別れたら……」

「いいかげんあきちゃったし、あたしも収入があるんだし、そうしようと思うんだけど、それには恋人がいなくちゃあね。そのみこみがあるかどうか、占っていただきたいのよ」

「いいですよ。さあ、心を統一して、この水晶球を見つめて下さい」

机の上の水晶球のことだった。

「それに未来がうつるの」

「ええ。だけど、あたしにしか見えません。それをお話しするのです」

「じゃあ、お願いするわ」

それがなされ、老女は低くつぶやくような声で言った。

「見えてきましたよ。まもなく、ひとりの青年が、あなたの前にあらわれます。そして、深い仲になるでしょう。このビルのとなりに、喫茶店がある。あなたは、そこで時間をつぶしている。すると、きょうかあした、その青年があらわれる」

「面白くなってきたわね。どんな青年なのか、楽しみだわ。その人とあたし、ずっとうまくゆくのかしら」

「それは、あなたしだいですよ」

「そうだわね。あきたら、また新しい男を見つければいいんだし。その時には、またお願いするわ」

タレントだけあって、普通の人と神経がちょっとちがっている。みどり礼子はいくらかの謝礼をおき、期待にみちた表情で帰っていった。老女はそれを数えようともせず、ポケットに入れた。

それからしばらくし、ドアが静かに開閉され、ひとりの男が入ってきた。大きなサングラスをかけている。男はポケットからナイフを出し、老女につきつけて言った。

「おれは強盗だ。説明は不要だろう。金がいるんだ。この部屋で、女がひとりで商売していると聞き、抵抗なしに金が手に入るだろうと思ってやってきたのだ。さあ、金を出せ。もし、いやだと言ったら……」

「それはそれは。月並みなセリフね。あたしはとしよりだから、若い人のように命に執着はないの。おどしてもだめよ。それに、お金だって、ぜんぜんない。うそだと思ったら、そのへんをさがしてごらんよ」

侵入者はあたりを見まわし、はりあいが抜けた声で言った。

「たしかに、金まわりは、よくなさそうだな。机の上の、水晶の玉ぐらいのものだな」

「それを持ってかれちゃ、困るよ。おねがいだ。それだけはやめておくれ。占いの商売道具なんだから」

「なんだ、占い師だったのか。てっきり金貸しと思っていたのに」

「おあいにくだったね。だけど、せっかく来たんだ。占ってあげよう。ここより金を手に入れやすいところが、あるかもしれないよ」

「しようがねえ。たのむとするか。だがな、うまくいかなかったら、ただじゃすまないぜ。覚悟はいいか」

「まあ、椅子にかけて、精神を統一しておくれ……」

それがなされ、老女が告げた。

「……マンション荒しが成功する」

「簡単すぎるな。もっと具体的に言ってもらわないと、手のつけようがない」

「この少し先に、マンションがある。そこに、みどり礼子っていうタレントのすまいがある。ここ数時間は、だれもいない。ドアをこじあけるか、非常階段からバルコニーに飛び移るかは、おまえさんの腕しだい。室内に花びんがあるはずだ。そのなかに、まとまった金がある……」

「いやに、はっきりしているな。うまくいったら、礼はするぜ。だが、うそじゃないだろうな」

「うそだったら、戻ってきて、ここであばれるんだろう。それは困るよ。だから本当さ」

「妙な気分だが、やってみるか……」

侵入者は引きあげていった。老女は平然たるもの。こんなことで驚いてはいられない。

つぎの客は、二十三歳ぐらいの青年だった。入ってきたはいいが、もじもじしている。

「じつは、あのう……」

「さあさあ、遠慮なさることは、ありませんよ。そこへおかけなさい。お客なんですから、いばっていいのですよ」

「じつは、そのう……」

「若い人には、悩みがつきもの。ありのままをお話し下さい。あたしは、としより。気がねすることなど、ありませんよ。さあ……」

「ぼく、女の友だちがないんです」

「なにも、あわてることはないでしょう。これから、できますよ。悪くない顔つきじゃないの……」

老女の言う通り、青年はどちらかというと、ハンサムなほうだった。

「しかし、ぼくには自信がないんです。いつまでも、このままだと思うと、いっそ

「……」

「なぜ、そう悲観的になっているんです。男らしく、やってみたらどうなの。もっとも、その決心がつかないんで、迷ったあげく、ここへ来たというわけなんでしょうけど」

「そうなんです。じつは、ぼくの母親、いわゆる教育ママなんです。勉強しなさい、いい成績をとりなさい、いい学校に入りなさい、えらくなりなさいと言われつづけ。いままで、そう育てられてきたんです。そして、気がついてみると、女性とのつきあい方を知らない人間になっていた」

教育ママの犠牲者とわかった。心の奥底で母親に反抗し、また甘えたがっている。それは占うまでもなくわかる。このままでは本人のためによくない。

「あまり、ぐちをこぼしては、いけません。うまくいきますよ」

「そんな、おざなりの話では……」

「くわしくお話ししますよ。さあ、この水晶球にむかって精神を統一して……」

「やってみましょう」

青年は従い、老女が言った。

「このビルのとなりに、喫茶店がある。あなたは、そこに入ってゆく。お客のなかに、うす青の服を着た、二十八歳ぐらいの女がいる。あなたが話しかける……」

みどり礼子のことを言っているのだった。うぶな青年だ。芸能生活が長い彼女にとって、こんな青年は物めずらしく、新鮮にうつり、喜ばれるにちがいない。青年にとっても、ぴったりだ。

「そう、うまくゆくのかなあ」

「占いにこう出ているんですから、まちがいありません。きっと成功します」

「話しかけて、どうするのです」

「美しいかただと、ほめればいいんです。それから、ホテルにでもさそったらいいでしょう。たとえば、あそこの……」

老女は窓のそとを指さした。青年はまだ半信半疑。

「まさか、そんなぐあいには……」

「ここの評判を聞いて、きたんでしょ。信じることですよ。これが、あなたの運命なんです。さあ、元気を出して。ひとつ注意しとくけど、占いの指示で来たなんて、女には言わないこと」

「はい。やってみましょう」

青年は少し明るい表情になり、出ていった。うまくゆくだろう。相手の女も、占いを信じて待っているのだ。もっとも、どう発展するかわからないが。それは、その時のことだ。なんとかなる。いままで、すべてなんとかなってきたのだ。

そこへ、さっきの侵入者、サングラスの男が戻ってきた。興奮しながら叫びはじめる。

「おかげで、うまくいったぜ。花びんのなかには、ちゃんと大金があった。なにもかも、いただいてきた。信じられない」

「占いのおかげだよ。それに、あたしだって、痛めつけられたくないものね。ひとつだけ注意しとくけど、万一つかまった時、あたしに教えられて盗みに入ったなんて、言わないことだね。警察も信用しないし、そうなったら、まずここへ侵入したことを言わなくちゃならない。罪が重くなるだけだよ。それに、これだけ的中する占いだ。あたしを怒らせないほうがいいよ」

「わかったよ。薄気味わるくなってきた。そこでだ、おおせの通り、おれもつかまりたくないんだ。どっちの方角に逃げたらいいか、ついでに教えてくれないか」

「そうだね。車で北のほうへ二時間、そこに温泉地がある。湖のそばがいい。そのへんでしばらく休養したらいいんじゃないかね」

「そうするとしよう。しかし、すごい占いだな。どうだい、おれと組まないかい。いっぺんに、大金持ちになれるぜ。うまい話と思うがな」

「おことわりだね。あたしは、金もうけに興味はないんだよ。いいかげんで帰っておくれ。さもないと、のろいをかけるよ」

「そいつは、かなわねえ。じゃあ、退散するとしようか。あばよ……」

その男は帰っていった。老女はつぶやく。

「礼はだすなんて約束しておきながら、なんにもおいてかなかった。ひどいやつだ。勝手すぎるね……」

しかし、のろいをかけようともしなかった。もともと、そんな能力など、持ちあわせていないのだ。

しばらくすると、中年の紳士がやってきた。身なりから察して、金まわりは悪くなさそうだった。

「こちらの評判を聞いてうかがったわけですが、ひとつ占いを……」

「どんなことについてでしょう」

「じつは、いま泥棒に入られまして」

「それはそれは、とんだことで……」

「わたしは、手びろく事業をやっています。貿易、観光、不動産など。まあ、なんとか順調です。しかし、外出先で忘れ物を思い出し、いまマンションの自宅に帰ってみると、部屋のなかが荒らされ、飾ってあった花びんが割られ……」

「なかのものを盗まれた」

「花びんなんかは、どうでもいい。それより、机の引出しのなかから、有価証券のたぐいを、ごそっと盗まれた。大損害です」

「それは、お気の毒に……」

「どうしたものでしょう」

老女は、水晶球をのぞきこんで言う。

「警察にまかせるのが、一番ですよ。そういう場合のために、警察が存在しているわけでしょう。占いで解決していたら、警察はなまけてしまうばかりです」

「それはそうですな」

「警察がさじを投げた時に、あらためて占ってあげましょう。ご安心なさい。すべてうまく解決するでしょう」

「では、そのお言葉を信じて……」

腰をあげかける紳士を引きとめた。

「ところで、あなたは奥さんと、うまくいっておいでですか」

「よくも悪くもありませんな。しいて言えば、いささか、あきてきたというところでしょうか。わたしは仕事が生きがいでしてね、女房なんてものは、アクセサリーぐらいに考えているわけで、あるタレントと結婚したんです。会合に連れてくと、話題になっていい」

「妙な結婚観を、お持ちですのね。すると、そろそろ取りかえたくなってきた」

「まあ、そんなとこで。しかし、それには手切れ金がいる。この盗難事件です。それも先へのばさなくてはなりません」

「お気の毒に。なんとかいい方法を、考えてあげましょうか」

「お願いできれば……」

「この水晶球にむかって、精神を統一なさって下さい。奥さんがいま、なにをなさっておいでか、見てあげますわ」

「そりゃあ、興味がありますなあ……」

　紳士は乗り気になり、老女は言った。

「奥さんはいま、ホテルの部屋で、若い男と浮気をなさっておいでですわ」

「本当ですか。しめた。手切れ金がいらないですむ。謝礼ははずみます。私立探偵をやとうより便利だ。これから乗り込んで、現場を押さえよう。どこです、場所は……」

老女は、窓のそとを指さして教えた。

「あそこに見えるホテルですわ」

「ありがたい。ところで、ついでです。つぎの結婚相手に、ちょうどいいような女性はおりませんかな。ここの指示なら、信用できる」

「また出なおしていらっしゃいよ。そう、なにもかもいっぺんにでは、占いきれませんわ。あなたはまず、警察へ行って被害届を出す。犯人逮捕をたのむ。それから、ホテルへ行って、奥さんのしっぽをつかむ。なさることが、たくさんあるわけでしょう」

「そうでしたな、では……」

紳士はうなずいて帰っていった。

しばらくお客がたえ、老女の占い師は、昨日のことを思いかえしてみた。

きのうも、いろいろと変な客の来たこと。

まず、やせた青白い顔の男が来た。そして、とんでもないことを言い出した。

「なにか、胸がすっとするようなことを、したいのです。そこで、時限爆弾を作ったのですが、どこにしかけたものか、占って下さい」

どんなお客が来ても、なんとか巧妙に応対する。なれていることなのだ。

「警察なんか面白いんでしょうけど、なかに入る時に怪しまれてしまう。それに、爆発させたはいいが、留置されてた連中ばかりがやられるってことだって、あるしね」

「そうなんです。だから、迷ってしまうのです。もっと、派手なとこがいい」

「だったら、橋なんかいいんじゃない。この少し先にあるわよ。戦争映画で、よくあるじゃないの。橋が爆破されるシーン。痛快よ。大きな音とともに、川の水のなかに崩れてゆく。いつも、そこで胸がすっとするわ。五時間後ぐらいにセットしたら。とりつけるのも簡単。ひもでつり下げれば、通行人に気づかれることもない」

冗談の話し相手なら、気楽なものだ。

「そうですね。きっと壮観だろうな。心のもやもやも、すっ飛びそうです。いいことを教えてもらいました」

そいつが帰ったあと、二人づれの男が来た。困惑の表情で、こんなことを言った。

「お笑いになるかもしれませんが、わたしたちは病院につとめる者なのです。神経科の病院です」

「べつに笑ったりはいたしませんわ。だれにでも悩みはございます。科学も万能とは限りません。どうぞ、ご遠慮なく……」

「じつは、病院から患者が逃げまして。早くつかまえなければならないのですが、いっこうに見つからず、こちらの評判を耳にし、思いあまって……」

「どんな男ですか」

「やせた、青白い顔の男です」

「では、水晶球をのぞいてみましょう……」

もっともらしく、それをやる。さっきの客、どうも言うことが変だと思ったら、患者だったのか。早く連れ戻したほうが、本人のためだ。

「……その男の姿が見えてきましたわ。この先の橋の近くにいるようですよ」

「いちおう、そこへ行ってみましょう。ほかに、あてはないし。うまくつかまえることができたら、のちほど謝礼を……」

「その男、なぜ急いでつかまえなければならないんですの」

「以前、ダイナマイト関係の仕事をしていたことがあるんでね。ほっとくと、なにをされるかわからないんです」

二人はあたふたと出ていった。とすると、あの時限爆弾とやらは本物というわけね。適当な人がやってきてくれると、いいんだけど。

ちょうどよく、若い男がやってきた。

「だれも、ぼくのことをみとめてくれないんです。軽くあしらわれてばかりいる。自分の存在価値が、わからないのです。このままだと、生きていてもつまらない……」

若いと、すぐ物事を思いつめてしまう。

「まあ、そう早まってはいけません」

「なにか、将来にいいことはないものか。占ってもらって、それでもだめなら……」

老女は水晶球をのぞいて言った。

「ありますよ。幸運が待っている。あなたは、ここを出てから橋へ行く。そこで、注意ぶかく観察する。そして、ひもでなにかがつり下げられているのを発見する」

「それを引っぱりあげるんですか」

「そんなことしちゃ、だめ。警察へ通報するの。警察はそれを調べ、大喜びするわ。感謝状をくれるかもしれない。もしかしたら、テレビのニュースショーに出られるようなことになるかもしれない」

「そうなったら、さぞ楽しいだろうな。で、その品はなんなのです」

「そこまでは、わからないわ。あたしは、ただ、あなたの運命を見ただけよ」

「ありがとう。なんだか希望がわいてきました。うまくいったら、あらためてお礼に……」

喜んで出ていった。青年の期待どおりになるだろう。なるはずなのだ。すべて、つごうよく片づいた。老女は思う。あたしには占いの才能など、まるでないんだけれど、お客のほうが、いつも順序よくやってきてくれる。これこそ、神からさずかった能力なのかもしれない。それを充分にいかすのが、あたしのつとめなのかも……。

「ごめん下さい」

男の客がやってきて、老女の昨日の思いは中断させられた。

「どうぞ、おかけ下さい。で、なんですの」

「どうも、申しあげにくいんですが、わたしは警察官でして」

と身分を示す手帳を出した。

「それはそれは。取調べでしょうか。あたし、なにか悪いことをしましたかしら」

「いえいえ、そんなことでうかがったのでは、ないのです。じつは、わたしはあまり優秀でないもので、失敗ばかりしています」

「ご同情しますわ」

「いまも、マンション荒らしを担当させられ、現場を調べてきたんですが、まるで、手がかりがない。困りきっているんです。きのう、時限爆弾を未然に発見した青年がありました。その観察力の鋭さをほめたら、もっとすごい人がいると、あなたのことをちらと口にしました。警察官がこんなとこへ来てはいけないんでしょうが、内密で占っていただけませんでしょうか」

「いいですよ。困っているかたを助けるのが、仕事なのですから……」

水晶球をのぞいてから告げる。

「……犯人の姿が見えてきましたわ。サングラスをかけた男で……」

服装などをくわしく説明する。警察官は身を乗り出す。なんでもいいから情報が欲しいのだ。

「で、そいつはどこに……」

「この近所をさがしても、だめ。北のほうへ車で二時間。湖のそばにある温泉地で、のうのうとしています。信用なさらないでしょうけど」

「信じますよ。ほかに、まったく手のつけようがないんですから。いちおう行ってみます。だめでもともと。うまくいけば大手柄だ。お礼はしますよ」

警察官の帰ってゆくのといれちがいに、新顔の若い男が入ってきた。

「よろしいでしょうか」

「もうきょうは終りにしようかと思ってたんですけど、お客さま第一。サービスしますわ。で、どんなこと……」

「ぼくは芸能週刊誌の記者なんですけど、なんにもいいたねがないんです。うわさによると、ここの占いがよく当るとか。その紹介でもさせていただこうかと思って……」

「そりゃあ、だめよ。あまり目立ちたくないの。マスコミでさわがれると、当らなくなってしまうものなのよ」

「しかし、ほかにいい材料がなくて……」

「大丈夫よ。あなたはここを出て、あそこに見えるホテルに行く。すると、そこのロビーでいい材料にめぐりあえるわ。ある女性タレントの、離婚話の進行中の現場よ。そんなたぐいのことだけどね。よそのどこよりも早く記事が書け、みなをあっと言わせることができる」

「本当ですか。だれなんです、それは」

「行ってみたら、わかるわ。それを調べるのが、あなたのお仕事なんでしょ。あなたを占ったら、そう出ていたというわけよ」

「うまくいったら、すごいな。すぐ出かけてみましょう。お礼はあらためて……」

そのあと、老女の占い師は、部屋のなかを片づけ、帰りじたくをしながらつぶやく。

「やれやれ、きょうも調子よくことが運んだわ。これがあたしの生きがい。どのお客も、それなりに喜んでもらえた。みな運命のふしぎさを感じてくれたはずだし、ここの信用と評判も高まる一方……」

雷鳴

その男はもはや五十歳をすぎかけているというのに、ひとりで暮していた。流通産業の中小企業、早くいえばあまり名の知られていない問屋につとめ、営業関係の仕事をしている。

住居はアパート。広くはないが、それで充分だった。朝食は簡単にすませ、昼食は会社の食堂。夕食はアパートの近所の飲食店で食べればいい。その時、なんとなく酒も飲んでしまう。まあ、そんな生活のくりかえしだった。

親兄弟なしの、まったくのひとり。若いころは、それをいいことに、きままにすごした。やがて、ふと気がついてみると、金銭的にだらしないくせがついていて、結婚してくれる女もなく、ついそのまま、ずるずると今日まで及んでしまったというところ。

友人が言う。

「家族というものの味を知らないまま、人生をすごしてしまう気か」

「若い時に結婚していたとしても、いまごろは子供も独立して家を出てしまっている。そして、妻に先立たれたと考えてみろ。いまの状態と、おんなじことだ。さびしく悲しい思い出がないだけ、いいというものさ」

「妙な人生観の持ち主だな。しかし、ふけこむには、まだ早いんじゃないかな。ひとつ、大恋愛でもやってみる気はないのか」

「ないこともないが、あいにくと貯蓄精神というものが、身についていなくてね。それに、あくせく働いてこなかったので、昇進していないとくる。つまり、収入も知れてるってわけさ。まあ、金まわりがよくなったら、新しい意欲がわいてくるかもしれないがね。その可能性となると、あんまりないな」

すなわち、ぱっとしない現状だったのだ。

ある夜、男は雷鳴で目をさまさせられた。かなりの激しさ。彼は寝床から身を起した。いなびかりの青白い光が、一瞬、部屋のなかに満ちた。その時、男は見た。

部屋のすみに、古めかしい服を着た老人が立っている。そして、どういうつもりか、男を指さしている。

「う……」

あまりのことに、声も出ない。男はふるえながら、電灯のスイッチを押した。あたりが明るくなる。もはや老人の姿は、そこになかった。あれは夢か幻覚だったのだろうか。いや、たしかに目ざめていた。それに、いやにはっきりしていた。幻覚を見るような、乱れた精神状態にあったとも思えない。

いなびかりと雷鳴はさらに何回かあったが、あの異様な老人は、もはやあらわれなかった。しかし、あのぞっとした気分は、なかなかふり払えない。男は朝になるまで、電灯をつけて起きていた。

その二日ほどあと、男は左の胸に軽い痛みをおぼえた。本能的に左手で押さえる。やがて、それもおさまった。そのついでに、なにげなく服の内ポケットに手を入れ、指先にさわったものを出してみた。

それは宝くじ。いつだったか、取引き先のだれかから、大金をあげるよと冗談半分に言われ、もらったものだ。すっかり忘れていた。どうせ、はずれだろう。捨ててしまうか。

しかし、万一ということもある。いくらかでも当っていたら、もったいない。男は銀行へ電話をして、調べてもらった。

「ご運のいいことでございます。高額の賞金が当っております。おいでをお待ちしております」

という返事。男は銀行へ出かけ、札束を渡された。一年間ほど、遊んで暮せるぐらいの金額だった。銀行の人は言う。

「いくらかでもご預金いただけると、ありがたいのですが」

どれくらい持ち帰ろうか。しかし、男の頭には、あの、いなびかりのなかの老人の姿が浮かんだ。なにか関係があるような気がしてならない。

「全額そうしよう。定期預金だ」

手をつける気にならなかったのだ。

それから数カ月後。男はまた、予期しなかった金を手にした。ほとんど交際のなかった、いなかの親類が死に、唯一《ゆいいつ》の血縁ということで、遺産がころがりこんできたのだ。いくらかの相続税は取られはしたが、まさに労せずしての収入。

しかし、男はさほど喜ぶ気持ちにはなれなかった。会社の同僚が声をかける。

「どうした、浮かぬ顔をして」

「なぜか、急に金まわりがよくなってね」

「けっこうじゃないか。どう使おうか、迷ってるんだな。ひとつ、景気よくやろうじゃないか。われわれにおごらないか」

「そうだな。そうするか」

話はまとまり、何人かで大いに飲み食いした。だれかが言う。

「いい酔いごこちだ。さあ、にぎやかなとこで、二次会をやろう」

「それもそうだな」

とうなずく男に、質問がとんだ。

「変なやつだな、きみは。ぜんぜん陽気にならない。二次会へ行きたくないのか。景気がいいんだろう。張り切れよ。金さえあれば、いくらでももてるぜ」

「行くよ。みんなに楽しんでもらえば、いいんだから」

「かんじんの本人が気乗りうすというのは、どういうことだ。非合法すれすれの金かなにかかい。悩んでいるのなら、相談に乗るぜ。話してしまえよ」

「じつは……」

男は説明した。いなびかりのなかで、妙な老人の姿を見たこと。しばらくして、指さされたと思われる胸のあたりの痛み。宝くじ。考えもしなかった遺産相続。

「……というわけで、使ったらなにかあるんじゃないかと、気になってならないんだ。しかし、他人におごるのなら、べつに、どうということもないだろう。そういうことさ」

「なんだって。そんなことがあったのか。そういう金でおごられるのは、どうも、すっきりしないな。たたりが、こっちへ回ってきそうだ。きょうの勘定は、わりかんにしよう」

ほかの連中も同じ気分。二次会は、お流れになってしまった。といって、それを機会に男が変な目で見られるようになったわけではない。問題は金なのだ。あいつから金をもらったりしなければ、どうということもないのだろうと。

月日がたち、同僚が時たま思い出したように聞く。

「そのご、どうなんだい。例の金は……」

「まあね。あの親類の遺産だがね、やってきた証券会社の人にすすめられるまま、株を買ったら、それが値上り。土地を買いませんかと、不動産会社のセールスマンも来た。どうせ金を持っていてもしようがないと買ってしまったが、道路ができていい値になっているとかいう話だ」

「うらやましい限りだな」

「自由に使っていいものならね。そこのところが心配で、生活は会社からの給料だけでやっているよ。食うだけは食えるからね」

「もったいない気もするな」

「ああ。だけど、いったい、あの老人はなんなのだろう。なにもかも、あれを境にはじまったのだ。この財産のふえかたは、普通じゃない。なにか関連があるはずだ。意味とか条件といったものがね。この金を欲望のために使ったら、なにかよくないことが起るんじゃないだろうか。運命が逆行をはじめ、一文なしになり、最後に胸の痛みで死んでしまうとか……」

「みすみす大金がありながら、そんなことで悩むとはね」

「なんだったら、一部を進呈するから、思い切って豪遊してみないか」

「魅力的な申し出だが、おことわりだね。実験動物になるなんて」

男はあれこれ考えてみるが、なんの結論も出ない。祈禱師《きとうし》のところへ出かけたこともあった。

「なにかが、わたしにとりついているようなのです」

「つまり、不運つづきなのですか」

「その逆なのです。気持ちが悪くなるぐらい、順調なのです。おはらいをして下さい」

「どういうつもりなのです。幸運を追い出したりしたら、わたしにもたたりが及びます。あなただって、どうなるかわかりませんよ」

占い師に聞いても、お坊さんや神主に聞いても、なっとくのゆく説明は得られなかった。まったく、やっかいな事態だった。人間、わけがわからないということほど、不安なものはない。努力してこうなったとか、時には損するというのならいいが、金は勝手にふえつづけてゆく。

どうなってもいい。ためしに、ぱっと使ってみるか。そのたびに老人の姿が頭に浮かび、ためらってしまう。また、どう使っていいのかも、わからなかった。独立して事業をしてみるか。なんのために。利益をあげるためにか。それだったら、いま、すでにそうなのだ。

少し高級な住居に移ろうかとも考えたが、住みなれたアパートだ。危険をおかしてまで、やってみることはない。快適さのなかで、不安はさらに高まるだろう。

かつて買わされた土地をぜひ欲しいという人があらわれ、またも、かなりの金ができた。すすめられるまま、株を買う。

それらの配当や預金の利息は、自動的にふえてゆく。

かくして、年月がたっていった。男の生活は相変らずだった。つとめ先が中小企業のため、定年はなかった。しかし、やがて年齢による疲れを感じるようになり、そろそろ引退しようかと思うようになった。あの金があるのだ。気候のいい地方のマンションにでも住み、のんびり暮そう。それができる金額になっている。

たたりがあったところで、いまさら、こわがることもあるまい。あまりに長いあいだ気にしつづけたので、その程度の覚悟はできていた。

そして、ある夜。男は雷鳴によってめざめさせられた。いなびかりが光り、そこにいつかの老人の姿があらわれた。男を指さして言う。

「わたしは、おまえの四代前の先祖だ。あまりに気の毒なので助けてやっているのに、金をためる一方。どういうつもりなのだ」

「あ、あれは使ってもよかったのですか。好きなことに」

「金まわりがよくなれば、だれだってうれしくなる。それを使うことで、当人も周囲もうるおうと思っていたが、ちがうのか……」

ふたたび、いなびかりが光り、それとともに老人の姿は消えた。

なんということ。あれは、自由に使うべき金だったのだ。それなのに、おれは気にしつづけ、緊張しつづけ……。

男は文字どおり、がっくりとなった。気力がいっぺんに失われたためか、心臓の発作がおこり、人生を終らせてしまったのだ。

その死亡のしらせを受け、同僚や友人たちが集って、葬儀をした。そして、話しあう。

「死んだのは、雷の夜だったらしいな。となると、やはり、あの金のたたりかな。そんなことを以前に話していた」

「それにしても、かなりの財産を残したな」

「妻子もなし。その金はどうなるのだ」

「このままだと、国の所有になる」

「そりゃあ、もったいない。それに、こんないわくのある金が国の手に渡ると、よからぬことになるかもしれない。どうだろう。交通の便のいいところに、墓を作ってやるか」

「しかし、それをやるとなると、墓地だの墓石だの、どえらい金がかかるらしいぜ」

「いいじゃないか。みんな、それに使ってしまおう。あいつも成仏するさ。それとも、いくらか配分にあずかりたいか」

「まっぴらだ。墓の案に賛成するよ」

というわけで、それが実行された。友人たちは、時たま男を思い出して、こんな会話をかわす。

「そのご、あの墓へおまいりに行ったかい」

「いや。墓ができて、みなで行ってから、ずっとごぶさただ。ひとりで出かけて、古めかしい服の老人なんかに会ったら、こっちまでおかしくなってしまうよ」

交通の便利な街なかの寺にある墓。彫られている名前は、まったく知られてないもの。そして、この上なく立派な墓。それなのに、だれひとりおまいりをしない墓。

安全のカード

その青年はまだ独身で、中規模の会社につとめ、営業関係の仕事をしていた。

ある休日、することもないままアパートのなかでベッドにねそべっていると、ドアにノックの音がした。立っていってあけると、みしらぬ男が立っていた。どことなく、よわよわしい感じがする。そいつは、こうあいさつをした。

「ごめん下さい。もしよろしかったら、少しお時間をいただけると、まことにありがたいのですが」

「ちょうど、退屈していたところだ。時間なら、いくらでもある。話し相手とは悪くないが、どうやら、なにかのセールスマンだな」

「さようでございます。そういうのを相手になさるのは、おいやでしょうか」

「そんなことは、ないよ。しかし、あまり期待しないほうがいいね。これといって欲しいものは、ないからな。あなたの時間のむだになるんじゃないかな。そうだ。セールスマン評論家にでも、なってみるかな。会社の仕事が単調で、なにか副業でもやりたい気分なんだ。いちばんいかんのが、新聞の勧誘員だね。ありゃあ、最低だ。買っていただくという態度じゃない。そこへゆくと、あなたは礼儀ただしくてよろしい」

「おそれいります」

「しかし、問題は、あつかっているものだな。平凡な商品じゃ、どうしようもないよ。ゴルフの会員権や別荘の買えるような収入じゃないことは、ごらんの通りだ。生命保険だなんて、言い出さないでくれよ。興ざめになってしまう」

「そんなたぐいでは、ございません。きっと、ご興味をお持ちいただけることと思います。いかがでしょう、なかへ入れていただけませんか」

「じゃあ、その椅子におかけなさい。なんだったら、お茶でもいれようか」

「それには、およびません。前おきは抜きにして、さっそく説明に入らせていただきます。じつは、このような品をおすすめに参上したしだいでして……」

男は手にしていた小さなカバンから、名刺ぐらいの大きさの金属製のカードを出した。銀色をしていて、こまかなもようの彫刻がほどこされ、ナンバーが入っている。手に取ってみると、ちょっとした重さがある。青年は、それをいじりながら言った。

「ものものしいね、金属製とは。どうやら、クレジット・カードのたぐいらしいな。それだったら、二枚ほど持っている」

「いえいえ、そんなものではございません。これをお持ちになっていれば、普通では買えないものが手に入るわけでして……」

「そんなものが、あるかい。金で買えないしろものなんて……」

青年が聞くと、男は答えた。

「安全でございます。現在において、これほど求められているものはないのでは……」

「安全だって……」

「はい。まさに、手に入れにくいものの第一ではないでしょうか」

「ふん。警備保障ってわけかい。しかし、なにかあったら、おたくに連絡するより、警察に電話するよ。だれだって、そうするんじゃないかな」

「しかし、なぐられたり、金銭を奪われたりしたあとでは、どうしようもございませんよ。これは、そんなことを防ぐためのカードでして。その点に関しましては、完全といっていい効能を持っているのです」

「どうも、よくわからないな。なんなのだい、それは」

「早くいえば、護符。お守りと思っていただければ、よろしいでしょう」

青年は、カードと相手の顔を交互に見た。

「それを、信じろっていうのかい」

「さようでございます。どなたさまも、まず、そうおっしゃる。いい実例がございます。わたくしをごらん下さい。ずっと、この仕事をしております。いただいた代金を持っていることも、ございます。しかし、いまだかつて、襲われて奪われたことは、ございません」

「なるほどね。武術の心得があるとは見えないしな」

「そこを信じていただけるかどうかが、分れ目なのでございます。ですから、むりにとは申しません。もちろん、一週間以内なら、ご契約の解除はいたします。しかし、そのあいだに効果をたしかめられるかどうかは、わかりません。身の危険というものは、そうしばしば発生するものではございませんから」

「そりゃあ、そうだろうな」

「しかし、このカードをお買いいただければ、絶対的な安全の保障が得られるのでございます。カードの持ち主のかたがた、気まぐれにお買いになったかたも多いでしょうが、どなたさまも安全な状態になっているのでございます。死傷した被害者のポケットに、ふしぎな金属製のカードがあったという新聞記事は、ありえないのでございます」

「ううん」

「信じられない、だまされないぞとお思いになるかたは、ご縁がないわけで、もう二度と、おすすめにまいりません。しかし、この種類の詐欺《さぎ》が新聞をにぎわしたことも、ないはずですよ」

「どうも、なんとなく気になるカードだなあ……」

青年は、考え込んだ。値段を聞いてみると、支払えないほどの額ではない。高級バーで五回ほど飲むと、それぐらいはかかる。しばらく、それをがまんしてみるか。彼は決心し、うなずいた。

「……われながら、ものずきだな」

「そんなことは、ございません。いずれ、賢明な判断だったことが、おわかりいただけましょう」

翌日、青年は銀行から金をおろし、そのカードを買い取った。会費のたぐいを払いつづける必要はない。それにしても、本当に役に立つのかな。疑念がちょっとだけ頭をかすめた。

所有者になり、ポケットに入れる。気のせいか、心づよさのようなものを感じる。一週間たったが、解約する気にならなかった。愛着とでもいった感情を、いだきはじめたのだ。マスコットとは、そういうものなのだろう。

そのまま、何カ月もたった。

青年は地方都市に出張した。得意先を集金してまわり、ホテルの部屋へ戻った時のことだ。ベルの音でドアをあけると、すごみのあるやつが入ってきた。

「早いとこ、すませよう。おれは強盗だ。なにもかも出せ。貴重品をフロントに預けてあるのだったら、おれはもうけそこない。そうでなかったら、しめしめというわけだ。二、三発ぶんなぐり、首をしめあげてからでもいいんだが、よけいな手間ははぶきたい。さあ、カバンと上着とを……」

こうなったら、どうしようもない。青年がポケットに手を入れると、カードがあった。それを出して、ためしに言ってみた。

「こういうもので、かんべんしていただけませんか。まとまった金を出して、買わされたものですよ」

手ばなすのは惜しいが、集金を持っていかれては責任問題となる。しかし、そのとたん、事態は一変した。相手の口調が、あらたまった。

「これはこれは。そのカードの持ち主でございましたか。おみそれしました。まったく、きょうは、ついていないな」

そして、あたふたと出ていった。そのあと、しばらく青年は夢のような気分。こりゃあ、いったい、どういうことなんだ。それほどの威力が、このカードにそなわっていたとは……。

それとも、いまのやつ、カード会社にやとわれた一員かな。そうとも考えられる。その可能性はあるぞ。しかし、それだって、いいじゃないか。絶体絶命のスリルを味わえたのだ。珍しい体験をしたことは、事実だ。

カードの真価への判断は下せなかったが、いずれにせよ、悪い気分ではなかった。

それからまた数カ月。青年はなにごともない日々をすごした。

ある夜、会社の帰りに盛り場で飲んだ。そのあと、いい気分で歩いているうちに、横道へと曲る。ふいに声をかけられた。

「おい、金を貸せ」

人通りが少なく、ちょっとうす暗く、盲点といったような場所だった。声の主は人相もよくなく、ナイフをちらつかせている。所持金は知れているし、時計だって高価な品ではない。おとなしく身ぐるみぬいで渡したっていいのだが、なにもそうすることはない。こっちには、カードがあるのだ。

「さあ、これを」

ポケットから出し、相手に見せる。

「なんだ、そんなもの。おれの欲しいのは、現金だ。出し惜しみをすると、痛い目に会うぞ……」

どうやら、今回は相手が悪かったようだ。もはや、逃げようもない。やれやれ……。

そのとたん、手のカードは一瞬、生命を持ったような動きを示した。ひらりと飛びあがり、ナイフを持った手に勢いよくぶつかり、それを地面にたたき落した。つぎに、左右の足のむこうずねに打撃を与え、相手を立ちすくませ、最後は眉間《みけん》にぶつかり、それから青年の手に戻ったのだ。

相手は地面に倒れ、かすかにふるえている。ひたいに当った時に、高圧電流のショックでも受けたような感じだ。おそるおそる調べたが、死んだのではないらしい。

青年はほっとし、行きつけのバーに入り、カウンターで一杯を飲み、やっと人ごこちがついた。

「やれやれ、あぶないところだった……」

信じられないが、あれは錯覚ではなかった。どうなっているのだろう。ポケットのあのカードは、持ち主の非常事態に感応し、こうなってほしいとの意識どおりにすばやく動く性能をもっているとみていいようだ。科学の作用によってか、なにか神秘的な力によってかはわからないが。

とにかく、カードが本物であることは、まちがいない。

となると、いい買い物をしたことになる。これだけの力を、持っているのだ。まさに、もうけものというべきであろう。

身の安全は、たしかに保障されているのだ。こんな、すばらしいことはない。青年のそれからの毎日は、一段とこころよいものとなった。警戒ということに、さほど気を使わなくてもすむのだ。そのぶんだけ、仕事や遊びに熱中できる。

ある時、道を歩いていると、カードが落ちて音をたてた。

「おっと、こんな大切なものをなくしてしまっては……」

身をかがめて拾ったとたん、目の前を徐行しない車が走り抜けていった。もし歩きつづけていたら、はねとばされて負傷は避けられなかったところだろう。

「こんな危険からも、守ってくれるというわけか……」

あらためて、カードの力のありがたさを知らされた。

数日後、青年がバーでひとりで飲んでいると、若者が話しかけてきた。

「ちょっと、お顔を貸していただけませんか」

あきらかに、まともな職についていないチンピラとわかる。青年は顔をしかめかけたが、こっちにはカードがあることを思い出す。こわがることは、ないのだ。

「なんだい。話なら、ここで聞こう」

「こないだは、すごいことをやってのけましたね」

「なんのことだ」

「おれ、遠くから見てたんですよ。あの暗い道でさ。あんた、目にもとまらぬ早わざで、おれの兄貴分をやっつけちゃった」

「そういう関係だったのか。しかし、悪いのは、あいつのほうだぜ」

「わかってます」

「あいつ、あのあと、どうなった」

「こわいもの知らずだったのに、あれ以来、人が変ったように、おとなしくなっちゃってね。おかげで、おれ、困ってるんだ」

「そりゃあ、また、どうしてだい」

「おれたち、何軒もの店と契約してさ、さわぎが起ったり、いやな客が帰らない時に、それを始末する仕事をうけおっていた。警察を呼んだりしたらやっかいな場合って、なにかとあるからね。それが、いまや、できなくなっちゃったってわけだよ。おれは、そんなに強くないんだ」

「ちょっとばかり、気の毒だね」

「それでさ、あんたが組んでくれると、ありがたいんだよ。おれの兄貴分をやっつけた人だと宣伝すれば、いま以上にたのもしがられることは、たしかだし……」

「言われてみると、面白そうだな。しかし、会社をやめるつもりはないし、毎晩このあたりをうろつくのもね」

「そんな必要はないよ。おれが口先で、なんとかするから。兄貴分をやっつけたという実績が、ものをいうのさ。この世界って、そういうものなんだ。いよいよという時には電話するから、その時に出かけてくれればいいよ」

「そういうものかねえ」

「ああ。その気があるんだったら、これから縄張《なわば》りの店への、あいさつ回りをはじめよう。ただで飲めるよ。ね、引き受けてくれないかなあ」

「よし、やってみるか」

その日から、何日かかけて、子分のチンピラに案内され、青年は喫茶店、飲食店、バーなどを回った。大げさな宣伝がゆきとどいているのか、どこでも丁重に迎えられた。

「まあ、どうぞよろしく」

はたして、こいつがそんなに強いのか。そんな表情をされることもあったが、例の実績を聞かされているので、だれもいちおうは敬意をはらってくれる。

青年は、まんざらでもない気分だった。気のむいた時に、どこか縄張り内の店に寄れば、ただで飲める。その上、いくらかの金が毎月はいってくる。こっちの無知をいいことに、チンピラがいくらかをごまかしているのかもしれないが。

そんな生活を、しばらくのあいだ楽しんだ。

ある夜、一軒のバーで飲んでいると、子分のチンピラがかけつけてきた。この仕事をはじめてから、いる場所だけは、やつに連絡してあるのだ。

「てごわいのが現われました。これから出かけて、やっつけて下さい」

「なにごとだ」

「相手は、同業者なんです。欲を出さないでいてくれればいいのに、縄張りをひろげようと、おれたちのお得意の店に、いやがらせをしてきた。ここで引きさがったら、ずるずるとやられてしまいます。ここでひとつ実力を示して下さい。うまくいけば、むこうの縄張りが、こっちのものとなる」

「そうか、やっつければいいんだな」

少なくとも、やっつけられる心配はないのだ。青年はそとへ出た。

「文句があるのなら、腕でこいと言ってあります。ほら、あのビルのそばに立っているやつですよ」

あたりには人も少なく、決闘にはふさわしいような場所だ。青年は近づいて言った。

「あんたか。よけいなことをはじめたやつは」

相手は身がまえ、ポケットに手を入れた。凶器を出そうとしているらしい。青年もそれならばと、カードを出し、相手めがけて投げつけた。勢いよく飛んだそれは、どうしてか予想に反し、鋭い音をたてて道の上に落ちた。

カードは道に砕けて散っている。あわてて近より、思わずつぶやく。

「あ、あの大事なカードが……」

なんと、その言葉は、かけよってきた相手も口にしていた。そして、どちらからともなく、こう言ってにが笑い。

「あなたも、お使いになっていたわけですか」

こうなっては、どうしようもない。青年は子分のチンピラに言う。

「きょうかぎりで、仕事はやめだ。あとは、おまえひとりでやるんだな、むこうも、これ以上は縄張りを荒らしはしないよ」

「どういうことなんです」

「話せない事情があってね。その点は、この人もご同様さ」

その次の日から、青年はなんとなく落ち着かなくなった。不安。文字どおり、安全の保障がなくなったのだ。危険な目に会う可能性は存在しており、それがいつ、どんな形でふりかかってくるかわからない。また、防ぎようもないのだ。カードのありがたさを、あらためて痛切に感じさせられた。

やはり、あのカードは必要なのだ。しかし、よからぬことに使って、その結果、だめにしてしまった。もう一枚くれとは、ちょっと言い出しにくい。チンピラと組んでたとなると、危険も多かったわけで、うまく応じてくれないかもしれない。保険会社だったら、そう文句を言うところだろう。

あれこれ考えこんでいると、いつかの男がアパートにあらわれた。

「なにか、ご用はございませんか」

「いいところへ来てくれた。じつは、例のカードをね……」

「なくされたのですか」

「そうなんだ」

「あれは、なくならないはずなんですがね」

「しかし、現実になくしてしまったんだ。あのカードの価値はよくわかった。たのむから、また、なんとかしてくれないかな」

「けっこうですよ、くわしい事情はお聞きしません。しかし、そんなにあのカードをお望みですか」

「もちろんだよ。いかに安全が貴重か、身にしみて知らされた。あれがなかったら、びくびくして毎日をすごさねばならない」

「それでしたら、おせわいたしましょう。しかし、二度目となると、お金じゃ、お売りできないんです」

「魂でも渡せというのかい」

「まさか、そんな。お出来になることによってですよ。指令への服従です。もちろん、無茶なことなどは、おたのみしません。あなたを危険にさらしては、あのカードの作用と、矛盾してしまいますからね。カードの本質としては、使われることのなるべく少ないのが望ましいわけです。おわかりでしょう。この条件をのんでいただければ、カードを再発行いたします。つまり、あなたの身の安全は、以前と同様に保障されるというわけです。どうなさいますか」

青年はしばらく考え、カードのほうを選んだ。それは渡され、安心感はふたたび戻った。

時たま、電話がかかってくる。

「いまの会社をやめて、べつな会社へ移って下さい……」

青年は従う。指示された会社では、すぐ採用してくれた。そこの係が、なにかの指示で待っていてくれたようにさえ思えた。

「ある女性と結婚して下さい……」

まあまあの女性で、青年は結婚したあと、後悔しなかった。

「今回の選挙で、投票していただきたい人の名前をお知らせします……」

それぐらいのことは、してやるぜ。

「会社の秘密を、お知らせ下さい。どんなことに関してかといいますと……」

気の進まないことではあるが、指令なのだ。その通りにしていれば、無難なのだ。事実、再発行してもらったカードで、危険をのがれたこともある。もはや、自分から進んで使おうなど、まったく思わない。

ふと、指示に従わなかったらどうなるのだろうと、考えることもある。しかし、実行する気にはなれない。へたをして安全を失ってしまったら、とりかえしがつかないではないか。

いったい、あの電話の主は、だれなのだろう。なんの目的で。いや、そんな考えなど、持ってはいけないのだ。なにしろ、命あってのものだねだからな。

あの女

「おい。なんだか、顔色がよくないようだな」

昼ちかくに出社してきた同僚に、おれは話しかけた。ようすが、なんとなくおかしいのだ。

「ああ、ちょっとね……」

「なにか、事情がありそうだな。話してみないか」

おれたちは、ある会社の営業部につとめている。おたがい、入社して三年目。同期生といっていい。将来はライバルとなるかもしれないが、それはずっと先のことだ。営業部は大ぜいの人から成っているが、彼とは机もとなりどうしということもあり、気のあった仲なのだ。

「じつは、しばらく前から、だれかに見つめられているような気がしてね……」

同僚は話し出し、おれはうなずく。

「そんなことか。よくあることじゃ、ないのかな。気のせいだよ。忙しい仕事がつづいたための、疲れのせいだろう」

「そうも考えてみたよ。しかし、ちがうんだな。二、三日前に、その視線の主を、この目で見てしまったのだから。こうなると、もう、気のせいなんかじゃない」

「で、どんなやつなんだ」

「若い女さ」

「そりゃあ、すごい。うらやましいよ」

悩むことなんか、ないじゃないか。いい気なものだ。しかし、同僚は首を振った。

「早のみこみされちゃあ、困るよ。感じのいい女とは言ってないぜ」

「そうだったな。不美人というわけか」

「ただの不美人なら、まだ、がまんのしようもある。どういったらいいかな。陰気なんだよ。顔つきからみて、若いことはたしかなんだが、青白く、やせていて、活気というものが、まるで感じられない。ああいうのは、とてもじゃないが、願い下げだね。めったにないタイプだ。こっちのからだまで冷えてくるみたいで、思わず目をそらせてしまうよ」

「妙な話だなあ……」

おれが返答に迷っていると、同僚はひと息ついてから言った。

「きょうは、よそを回ってからの出勤だったが、地下鉄の駅で乗りかえる時さ。なんと、その女が、ホームのベンチに腰かけているじゃないか。そばに、なにか包みをおいてね」

「いやな気分だったろうな」

「ああ。いるだけならまだいい。見つめられるのも仕方ない。しかし、ぼくに笑いかけたんだよ」

「にこっとか」

「きみはそいつを知らないから、そんな形容を口にするけどね。ものやわらかな感じなんか、ぜんぜんないんだ。そう、もともと、かげの薄い女なんだ。とにかく、ぞっとしたね。あの笑いだけは、どうしようもない。ぼくはあわてて、その場をはなれたってわけさ」

「まあ、元気を出せよ。なにかあったら、相談に乗るよ。じっと考え込んでいては、かえってよくない。またそんな目に会ったら、話してくれ」

おれは、いちおうはげましておいた。正直なところ、どうすればいいのか、いい知恵は浮かんでこなかったが。

その日の夕刊をなにげなく見ると、地下鉄のホームのベンチで包みを拾い、駅員にとがめられた青年の記事が出ていた。忘れ物をとどけようとしたのだと弁解したが、なかのものが偽造の証券。警察に同行を求められ、あれこれ質問ぜめにされたとある。

その場所は、同僚が女に笑いかけられたのと一致している。時刻も大差ない。このことを教えてやろうかと思ったが、やめた。ますます彼を、妙な気分にさせるだけだろう。おれだって、どんな関連があるのか、わからないのだ。

つぎの日、同僚はそのことについて、なにも言わなかった。その記事に気がつかなかったのだろう。

数日後、同僚は定時に出勤してきた。しかし、顔は青ざめ、よく見ると、からだがふるえている。

「どうかしたのか」

「どうもこうもない。また、あの女だ」

「いつかの、かげの薄い女のことか」

「ああ。このあいだ、きみに話しておいてよかったよ。予備知識なしには、ぼくの気持ちを理解してもらえないだろうからな。いま、いや、さっきというべきかな。会社の玄関を入ろうとした時だよ。そこに立っているじゃないか。真正面からぼくを見つめ、またも笑いかけてきた……」

「ふうん」

「皮膚ぜんたいが、びくりとしたね。鳥肌がたつというやつさ。思考までが止まった感じ。ぼくはそばをすり抜け、やっとここまでたどりついた」

「そうだったのか……」

そのあとどう言ったものか、おれも困った。それにおかまいなく、同僚は言った。

「きょうは、なんにもしたくない。しようにも気力が出ないんだ」

「帰って休んだほうが、いいのかもしれないな」

「そうするつもりだ。新しい得意先との商談の仕事があり、うまくいけばボーナスの額に関係してくるんだがね」

「それなら、なんとか、がんばるか」

「いや、とてもだめだ。あの女め、ぼくをろくな目に会わせない。他人と話そうにも、あの女の笑い顔が目の前にちらつくと、まともな会話など、できたものじゃないよ」

よほど、ショックを受けたらしい。

「かわってあげたいが、ぼくもきょうの予定がきまっている。部長に話して、だれかにかわってもらうしかないな」

おれは同僚につきそって、部長に口ぞえをした。このあいだから、時どき目まいがするそうです。きょうは一段とひどい。仕事を休ませたほうがいいようですと。ありのままを話したって、信じてはくれまい。部長はみとめてくれた。

玄関を出たがらぬ同僚のために、おれは社のそとまで、いっしょについていった。喫茶店に入り、コーヒーを飲む。

「いくらか気分は落ち着いたか」

「ああ……」

そう言いかけ、同僚はとつぜん窓ガラスのほうを指さし、おれにささやいた。

「……あ、あの女だよ」

「え、どの女だって……」

おれは、そっちを見た。しかし、なんということ。だれもいない。大きなガラスのそとは道路で、多くの人びとが歩いてはいるが、立ち止まってなかをのぞきこんでいる陰気な女など、いないのだ。

「な、わかるだろう。あんなふうに、じっと見つめられるんだから」

「ああ……」

おれはうなずいた。そんな女なんか、いないんだ、きみの幻覚だよ。そう口にしてもいいのだが、彼の精神状態はさらにひどくなるにちがいない。同僚は真剣に、その存在を受けとめているのだ。

すでにおれは、かなり深くかかわりあってしまっている。そのことに、あらためて気づく。おれは神経科の知識など持ちあわせていないが、しばらくだまっていたほうがいいのだろう。本人に知らせたら、もっと驚くにちがいない。あわてさせ、悪霊《あくりょう》にとりつかれたなんて評判が社内にひろまったら、好ましいこととはいえない。

もう少し、ようすを見よう。いまのところ、仕事にさほどの支障はないのだ。おれは言った。

「まあ、早く帰って、酒でも飲んで、ぐっすり眠ることだな。神経を休め、気を強く持てよ。どういうつもりなのか、あの女の出方を見きわめようじゃないか。それから、このことは、あまりほかの連中に話さないほうがいいと思うよ」

「そうだな」

同僚は、タクシーで帰っていった。

まったく、わけのわからない話だ。これまで、彼におかしな点など、ぜんぜんなかった。それなのに、どうして突然ああなってしまったのだろう。

数日後、同僚はまたも浮かぬ顔をして出勤してきた。おれは聞いてみた。

「またか……」

「そうなんだ。きのうの夕方のことだよ。地方から出てきた得意先の人をごちそうしようと、あるレストランに入ったわけさ。すると、どうだ。あの女がテーブルについていて、笑いかけてくるじゃないか。近くの席があいてますってふうに」

「いい機会だから、ひとこと聞いてみたらよかったのに。どういうつもりかって……」

「とても、そんなこと。あの女だぜ。きみだって知ってるだろう。もっとも、あの時は笑ってなかったけどね。でも、笑ったらどんな感じになるか、だいたいわかるだろう」

「ああ」

「そこで、逃げるように店を出たよ。得意先の人も、店の人も変な顔をしていたけどね。しかし、そもそも、あんな女を店に入れるなんてのが、いけないんだ。お客ともなると、仕方ないのかもしれないけど……」

同僚は、新聞を読むどころの心理状態ではなかったらしい。その二日後、おれに言った。

「あの得意先の人から、お礼の電話があったよ。あの晩、あのレストランで食中毒が発生したんだってね。店を変えてもらったおかげで助かったって。新聞で知ったって言っていた」

おれはその記事をすでに読んでいた。そこで食事をしていたら、かなりの重態におちいっていたにちがいないのだ。

「逃げ出していて、よかったな」

「しかし、よかったなんて気分じゃないよ。もし、あの女の笑いにさそわれて、レストランで食事していたら、ぼくはひどい目に会っていたわけだ。もっとも、とてもそんな気にはなれなかったけどね。とにかく、なにかよからぬたくらみを持ってることは、たしかだな、あの女」

「しかし、きみは難をまぬかれたのだ……」

おれはなんとか説明しようとしかけたが、どう言っていいのかわからなかった。かりにやってみたとしても、たぶん彼は受けつけなかっただろう。

一カ月ほどが、ぶじにすぎた。同僚の例の件はおさまったのかと思っていたが、そうではなかった。

「まあ、聞いてくれ」

彼が複雑な表情でおれに言った。

「また、あの女か」

「そうなんだ。ここしばらく出現しなかったので、ぼくをあきらめてくれたのかと思っていたんだ。ところがだよ。きのうのことさ。製品の納入のことで、ある建築現場へ出かけて、けっこう話が長びいた。帰ろうとすると、あたりはうすぐらい。そこで歩きかけると……」

「いたってわけか」

「ああ。なにかけはいを感じ、ふとそばを見ると、あの女だ。五十センチとはなれていないところに立って、笑いかけているじゃないか。まったく、息のとまる思いだったぜ」

「だろうな。わかるよ」

「もう、反射的に走り出していたよ。そして、追っかけてくるのかとふりむくと、その場所に上から資材が落ちてきた。ぼくは悲鳴をあげたね。いやな女にしろ、そのままほっておくわけにはいかないだろう。それを聞きつけて、人びとがやってきた。しかし、落下物でたしかにつぶされたはずの女は、かげも形もないんだ。ぼくの話は、なにかの見まちがいにされてしまった」

「そんなことがあったのか」

「どういうことなんだろう。あの女が出現しなかったら、ぼくはあそこで、どうなっていたかわからない」

同僚はまさに、手におえない難問を前にしたように首をかしげた。おれは言った。

「ぼくなりの仮定があるんだが、いちおう聞いてくれるか」

「ぜひ、知りたい。このままじゃ、頭の整理がつかない」

「あの女だが、きみがいつか地下鉄のホームで笑いかけられた時、そばに包みがあった。きみがそれを手にしていたら、ちょっとやっかいなことに巻き込まれていたはずなんだ。その新聞を切り抜いてあるから、お望みなら、お見せするよ」

「そうとは知らなかったな」

「それから、社の玄関で会った日。あの新しい得意先、たちのよくない相手で、きみのかわりに交渉で出かけたやつ、あとでひどい目に会ったんだよ」

「そういえば、そうだな」

「それと、レストランの食中毒。あれも結果的には、きみが助かっている」

「まさにそうだ」

うなずく同僚に、おれは言った。

「つまり、あの女に笑いかけられることによって、きみは不運におちいらずにすんできたんだよ」

「いったい、なんだと言いたいんだ、あの女について……」

「きみの守護霊といったようなものじゃないのかな。人生には運、不運がある。ついてない時期ってものが、あるんだ。あの女があらわれたころから、きみの運勢は落ちこみの時期に入っていた」

「それで……」

「そこで守護霊は形となって出現し、それを助けたのさ。ささやきかけるなり、夢にあらわれるなり、ほかにも方法はあるだろうが、あれには笑いかける以外に出来なかったのだろう。逃げられるのを知った上でね。本気できみを不幸にしたいのなら、レストランに追い込むとか、落下物のほうに逃げるようにするとか、やっていたはずだよ」

「なるほど。言われてみると、いちいち思い当るな。いずれにせよ、ぼくは、そのたびに災難を避けられたんだからな。いい感じは少しもなかったが、感謝すべきなんだろうな」

「そんなところだと思うよ。こんど会ったら、お礼を言うかい」

「そうはしないだろうな。あの笑い顔だけは、どうにもがまんできない。おいおい、お礼を言いに近よったりしたら、えらいことになるじゃないか」

まあ、そんなわけで一段落。同僚はもう、その女の話はしなくなった。

ある日、帰りがけに彼とバーで飲んだ。おれは聞いた。

「どうだい、そのご」

「あらわれないよ。あわや一命をというあの時を境に、どうやらぼくの不運の時期は終ってしまったらしい」

「じゃあ、祝杯ものだな」

おれはグラスを手にした。彼もそうしたが、こんな言葉をもらした。

「しかし、あまりそんな気になれないんだ。また、べつな女につきまとわれてね」

「そうとは知らなかった。あのたぐいの、かげの薄い女が、またもか」

「そうじゃない。ぜんぜん逆なんだ。魅力的でグラマーで、感じがよく、つい近よりたくなってしまうんだ」

「うらやましいな」

つぶやくおれに、同僚は言った。

「きみは、体験してないから、そう思うのさ。ぼくの身になって考えてみろよ。この一件で、つくづく身にしみたんだ。妙な女っていったって、ぼくを助ける女ばかりとは限らないんだぜ。運勢がよくなりはじめると、それをねたんで、ちがう霊が形をとって出現しないとも限らないじゃないか」

「そうもいえるな」

「なにしろ、まるで事情が正反対なんだからな。前の女は、本能的にそばからはなれたくなり、その結果、ぼくは助かった。こんどのは、気を許したら、ついそばへ行きたくなってしまう。そこには、なにか恐ろしいことが、待ちかまえているにきまっているんだ。そんな予感がする」

「考えられないことじゃないな……」

おれは、あいづちを打った。同僚がそんな思考をするようになったのも、むりはない。その時だ。

「あ、きやがった……」

彼はおれに、それとなく指さして言った。

「……どうしたものだろう」

「そうだな。なんとかしてみよう。あとはまかせて、きみはここを抜け出せ」

「すまん。本当に、きみには世話になる。どうお礼を言ったものか」

「なんだ、友人どうしじゃないか」

同僚の帰ったあと、おれは席を立ち、彼のさっき教えてくれたほうへと移る。なにしろ、今回はおれにも、ちゃんと見えるんだからな。

ポケットのなかに

神経科をも兼ねている開業医のところへ、ひとりの男がやってきた。四十歳ぐらい。まじめそうで、なにやら思いつめている。

「先生、お礼は現金で払いますから、名前を聞かずに診察していただけますか」

「それはかまいませんが、医師というものは、患者の秘密を他人にもらしてはいけないことになっているのですよ」

「そうでしょうけど、やはり心配なのです。内密にお願いします」

「わかりました。で、どんなぐあいなのですか」

医者はうながし、男は真剣な表情で声をひそめて言った。

「じつは、罪をおかしているような気がして、ならないのです」

「そうですか。よくある症状ですよ。あまり大げさに考えることは、ないと思いますね」

「しかし……」

「もしかしたら、しらないうちに、なにか悪事をしているかもしれない。そんな感情にとらわれる人は多いのです。ひどいのになると、自首マニアというのがあります。なにか大事件が起ると、自分がやったにちがいないと思い込んでしまうのです。あなたは、まだそこまでいっていないでしょう」

「自首する気には、なれませんよ。警察につかまるのは、いやですからね」

「いいですか、そんな気がするだけなのでしょう。つまり、あなたは良心的な性格で、責任感もある。それが普通の人より、少し強いということですよ」

「そうじゃないんです。たしかに、なにかをやっているのです」

しきりに主張する男に、医者は聞いた。

「なにをです」

「そこが、わからないのですよ」

「ずいぶん、がんこですね。そうまでおっしゃるからには、なるほどと、うなずかせるだけの証拠のようなものをお持ちですか」

うながされ、男はポケットから札束を出して、そばの机の上においた。

「これです。きょうの診察料として、お好きなだけお取り下さい」

「料金の話をしているんじゃありませんよ」

「わかってます。いつのまにか、ポケットのなかに、かなりの大金が入っているのです。これは、その使い残りというわけでして。そして、どうしてそれほどの大金を手にしたのか、ぜんぜん思い出せない。スリというものは存在しますが、わざわざ他人のポケットに札束を押し込む人はいないでしょう。そんなことが、三回もあったのです。事情はおわかりいただけましたか」

「だいたいはね。たしかに、ふしぎはふしぎです。しかし、競馬かなにかのギャンブルでもうけたのかも、しれないでしょう。うれしさのあまり、精神的なショックで、一時的な記憶喪失ということだって考えられませんか」

「そうじゃないでしょうね。わたしはギャンブルを、あまり好きじゃないんです。それに、ギャンブルだったら、損をすることだってあるはずでしょう。それが一回もないのです。ふと気がつくと、ポケットに大金。どう考えても、まともなもうけとは思えません」

そう言われ、医者も首をかしげた。

「妙な話ですな。ところで、官庁にでもおつとめなのですか」

「わいろとお思いなのでしょうが、公務員ではありませんし、そのたぐいをもらうような地位にもない。仕事は平凡な、おっと、あまりくわしくお話しすると、身もとがわかってしまい、警察に知られて……」

「わいろではなし、ですね」

「なにしろ、えたいのしれない金でしょう。不安をまぎらすために、なんとなく使ってしまうのですよ。高級バーへ行って飲んだり、デパートで衝動買いをしたりしてね。銀行へ預金することも考えたのですが、税務署に知られて、なんでもうけたと調べられたりしたら、どう答えていいかわからず、そのあげく警察へ……」

「あなたは、よほど警察がおきらいのようですなあ」

「だれだって、そうでしょう。いったい、わたしになにが起ったのでしょう。しかし、へたなところへは、相談に行けない。思いあまって、先生のところへやってきたのです。現実に金がからんでいるのですから、気のせいや幻覚なんかじゃありません。たちのよくない霊魂にでも、とりつかれたんでしょうか」

「まさか」

「じゃあ、なんなのでしょう」

身を乗り出す男を、医者は制した。

「あなたのような症状のかたは、はじめてです。文献を調べてみます。そのうち、またおいで下さい。できたら、そういうことの起った直後のほうがいい」

「そうですか」

「検討する時間がいりますよ。それに、生命にかかわることじゃないし、ほっておくと破産というわけでもない。あせることはないでしょう。軽い精神安定剤をあげますから、とりあえずそれをお飲みになってみて下さい」

「では、そうしましょう」

男は金を支払って帰っていった。そのあと、医者はつぶやく。

「まったく、妙な話だなあ。あんなことって、あるのだろうか。世の中、妙なことを思いつくやつがいるからな。あいつ、医者をからかって面白がっているのだろうか。しかし、とてもそうは思えない。真実性のようなものがこもっていた」

医者は何人かの同業者に電話をかけ、こんな患者をあつかったことがあるかと聞いた。だれも初耳だという。なかには研究論文の材料にしたいから、こっちへ回してくれというのもあった。そうなると、なんとなく貴重品のようにも思えてくる。

二週間ほどたった午後、男はまたもあらわれた。医者が話しかける。

「久しぶりですな。あれでおさまったのかと思っていましたよ」

「そうじゃありません。またも起ったのです。普通の人なら、天からのさずかりものと喜べばいいと言うでしょうけど、自分の身に起ると、いやなものですよ」

「だいぶ深刻に、お悩みですな」

「そうなんですよ。ちょっとごらんになって下さい。上着もズボンも、ポケットというポケットは、みな札束でいっぱいなんです。うそじゃありませんよ」

医者がのぞくと、その通りだった。

「かなりの額ですな」

「こんなにたくさんなんてことは、いままでにありませんでした。これまでは、わたしをおとしいれるための、なにかの陰謀かと考えてもみました。しかし、こうなると陰謀やいたずらじゃありませんよ。わたしは、それほどの重要人物じゃない」

「たしかに、いたずらにしては大金すぎますな」

「といって、警察へとどけるわけにもいかない。いつのまにかポケットに入っていたじゃあ、信じてくれませんよ。尾行され、やがてはつかまってしまう。あるいは、悪霊にとりつかれたのかもしれない。このままだと、もっとひどいことになる」

「まあまあ、そうさわぐことはありませんよ。きょうは、徹底的に診察しましょう。わたしだって、原因を知りたい。そこの診察台の上に横になって下さい」

医者はとりよせておいた薬を注射した。新しい自白剤。忘れてしまったことまで思い出させる作用を持っている。うまくきいてくれればいいがと思いながら、医者は話しかけた。

「さあ、あなたは、きょうの午前中のことを思い出せます。あなたは、家を出てからどこへ行きましたか」

「ええと、外出し、道を歩き、そのうち銀行が目に入りました。銀行へ入ったのですか」

「そうそう、その調子です。それから、どうしました」

「そうです。銀行員が札束を数えています。見ているうちに、なんとなく欲しくなってきまして、つい……」

「それをいただいたというわけですね」

「そうです」

「どうやってです。そこをくわしく」

「それはですね……」

男は薬の作用で、眠りながらしゃべった。聞き終り、医者は思わずつぶやく。

「あ、あ、そんな方法があったのか。なぜ、いままで、そんな簡単な方法に、だれも気づかなかったのだろう。ああもたやすく、しばらくのあいだ、人びとを集団催眠にかけられるとは。わたしのように、その分野を学んだ者にとっても、盲点だった。こんなことがひろまったら、どえらいことになるな……」

ため息さえも出てくる。

やがて薬が切れ、男は目ざめ、医者に聞いた。

「どうでしたか。なにかわかりましたか」

「それより、あなた。あんな方法を、どこでおぼえたんです」

「あんな方法って……」

「ほら、銀行から、うまく人目をごまかして、巧妙に金を持ち出す、あの独創的なやり方ですよ。ご自分で考えついたのですか」

「そんなこと、考えたことなど。すると、あの金は、わたしが銀行から盗んだ……」

「盗んだといえるかどうか。もらったというべきじゃないでしょうか」

「理由もなしにですか。いずれにせよ、正当な収入ではなかったのだ。やはり、そうだったのか。知らないとはいえ、いい気になって使ってしまった。とても弁償する能力はない。ああ、とんでもないことをしてしまった。このままでは、すまされない……」

男は医者が引きとめるのを振り切り、沈んだ表情で帰っていった。

その数日後、医者はその男が自殺したことを知った。新聞に顔写真がのっており、あいつだと気づいたのだ。

これまで罪をおかしてきたし、これからもやりかねない。社会への迷惑を考えると、生きているわけにはいかない。悪霊にとりつかれた。そんな遺書とともに大金が残されていたので、なぞの死というニュース性があったわけだ。

骨董《こっとう》品店の経営者であることも、その記事でわかった。警察も扱いに困っているともある。

「なにも、死ぬことはないのにな。意識のない時の行為は、罰せられないことになっているのだ。そりゃあ、社会のためにはよくないかもしれないが、あの方法だと、目撃者の全員、当人まで含めてそれに関する記憶を失うのだから、決して発覚することはない。被害を受けた銀行だって、原因不明の金銭の消失となると、信用を考えてそれを届けたりはしない。そう思いつめることもないのにな。わたしの口から、もれることだってない……」

そこで医者はうなずく。

「……ということは、あいつが死んで、あの秘術を知っている者は、わたしだけというわけか。これは、面白いことになったといえそうだぞ」

ためしにと、外出する。銀行があったので、入ってみる。銀行員たちが札束をかぞえている。警報装置のことが心配だったが、ボタンを押さない限り、ベルも鳴らないのだ。また、勘も鋭くなり、ビデオカメラがどこにあり、どこが死角かの見当もつく。自信を持ってやってみよう。あの秘術を知ると、そういう気力まで身にそなわってくるものらしい。

行員とお客とのあいだの仕切りをあけ、のこのこと入りこみ、術を使い、あたりの札束をポケットに入れる。その場にいる者は全員、集団催眠にかかり、このことに関する記憶の一切を失うのだ。そして、金を手にした当人も。

気がついてみると、医者はポケットに大金のあることを知る。どこの銀行でなにをやったのかも、思い出せない。

「こういうしかけだったのか。すごい秘術だ。悪事をしたという意識に、悩まされることもないわけだ。もっとやってみるか」

二日ほどして、また外出。なぜか入りたくない銀行がある。

「なるほど、あそこが前に入ったところというのだろう。あの秘術のすばらしさの新発見だ。決して発覚しない。単なる集団催眠以上のものが、あるような気がするな。あいつは悪霊とかいって、おびえていたが。しかし、問題は結果だよ。労せずして金が手に入るのはたしかなのだ」

さらに歩き、べつな銀行に入る。そして、気がついてみると、はなれた場所にいて、ポケットには大金が入っていた。

もはや彼は、患者を治療する仕事をやめにした。そういうことのできる人は、ほかにもいる。しかし、この秘術を知っているのは、自分だけなのだ。活用しないでおくのは、もったいない。それに、まともに働くより楽だし、面白い。

気がむいたので、旅行に出かける。金については心配いらない。なくなれば、あの秘術を使えばいいのだ。銀行なら、たいていのところにある。決してつかまらない。やったことについての、目撃者はいないのだ。

さらに気がむくと、うまいものを食べ、酒を飲み、女性たちと遊ぶ。

ギャンブルもやってみた。

「そう簡単には、もうからないものだなあ。あるいは、金ならいくらでもあるということで、熱を入れないせいだろうか。しかし、世の中、刺激的なことって、あまりないものだな。仕事にはげんでいた時のほうが、充実感があったような気もする……」

ちょっと顔をしかめる。

「……といって、いまさら働く気にもなれないし。気ままと退屈とで、自分をもてあましてしまうことになるのだろうか。これは、えらいことかもしれないぞ」

しかし、そうはならなかった。ある時、ふと気がつくと、ポケットのなかに、血まみれのナイフがあった。

「いったい、いつ、これが……」

なにを意味しているか、すぐにわかる。どうやら、他人を刺したらしい。しかし、いつ、どこで、だれを。それに関する記憶は、まったくないのだ。あの秘術を応用したのだろう。彼はそのナイフを、ひそかに処分した。

新聞をくわしく読む。傷害や殺人の記事がのっているが、どれが自分のやったことなのか、見当もつかない。あの秘術は、当分のあいだ発覚しないよう、死体のたぐいをしまつする行為までやらせてくれ、それをも忘れさせる力を持っているのだろうか。それすらわからないのだ。

それは一回で終らなかった。そのうち、またも血まみれのナイフがポケットに。

「また、やってしまったらしい」

正当防衛なのかもしれないが、そうだとの保証はない。警察に行って話すわけにはいかないのだ。

さらには、弾丸をうちつくした拳銃《けんじゅう》が、ポケットに出現した。

人を殺しつづけているらしい。発覚はしないというものの、銀行の金をいただくのとは、わけがちがう。いてもたってもいられない気分になる。

どうすればいいのだ。だれか知人の医者に、なおしてもらうか。しかし、治療法もわかっていない。秘術を教えてくれたやつは、なおす前に自殺してしまったのだ。

医者の立場となると、まず自白剤を使うだろう。そして、まず銀行でのやり方を聞き出し、やってみようということになるだろう。それほど、この秘術は魅力的なのだ。あるいは、それをひとりじめしたくなり、永久に目ざめさせないでおこうという気になることだって考えられる。

「悪霊のなせるわざか……」

そう彼はつぶやき、顔をしかめる。自分で終止符を打たずにはいられなくなるのも、もはや時間の問題らしい。

業務命令

その青年は、希望していた会社に入ることができた。そして、その喜びにひたりながら、新入社員としての生活を何カ月かすごした。

会社は街の中央部の近代的な大きなビルのなかにあり、そのことも彼をいい気分にさせた。もちろん、ただ喜んでいただけではない。配属された営業部において、せいいっぱい働いた。世の中は好景気ではなかったが、社の業績はまあまあだった。

ある日、部長に呼ばれ、こう言われた。

「だいぶ仕事になれたようだな。なかなかよくやってくれている。その調子でたのむよ」

「はい。ありがとうございます。ところで、なにかご用なのですか」

「ああ。総務部に推進課というのがある」

「そんな課があったのですか。知りませんでした。申しわけありません」

「あるんだ。目立たない仕事をしているから、気がつかなくて当然だ。あやまることはない。なにごとも、知らされるまでは知らないんだから」

「そうですね」

「その課で、きみにたのみたい仕事があるそうだ。行って手伝ってあげてくれ」

「ほかの部の仕事ですね」

「社のためとなると、そんなことにかまっていられない。ここはお役所とはちがう。たぶん、臨時に人員を必要としているのだ。あの課の特色でね。それがすめば、またここで働いてもらう。たのむよ」

と部長に言われ、青年は少し緊張した。

「すると、産業スパイのようなことでも」

「さあ、なんともいえないな。長くはないと思うが、期間も不明だ。いずれにせよ、そこで指示されたことをやってくれ」

「わかりました」

なにをやらされるのか、営業部長も知らないらしい。それほど内密の任務のようだ。となると、ぼくの存在がみとめられたということになるな。青年は胸をはずませながら、総務部へ行った。

「あの、推進課はどこでしょうか」

「あっちだよ。あの人だ」

教えられた机には、かなりの年配の男がいた。定年を過ぎているのではないかと思われる年齢。推進という名前に、ふさわしくない印象を受ける。

その前にある少し小さな机には、中年の男がひとり。どうやら、老課長ひとりに部下ひとりという編成らしい。それへの応援か。どうにも、ぱっとしない。青年は老課長のそばに立った。

「営業部からまいりました。なにか、ご用だそうで」

「きみか。まじめそうだな。よろしい。では、別室で話そう」

青年は老課長と、会議室で二人きりになる。

「なにか、重大な件のようですね」

「そうだ。いままで営業部でやってきたのと同様に、いや、それ以上に熱心にやってもらわなければならない。企業に属しているからには、重要でない仕事などない」

「わかっております。で、どんなことをやればよろしいのでしょう」

「きみは、まだ独身だね」

「はい。下宿ぐらしです」

独身ということで選ばれたとなると、危険のともなう仕事なのだろうか。

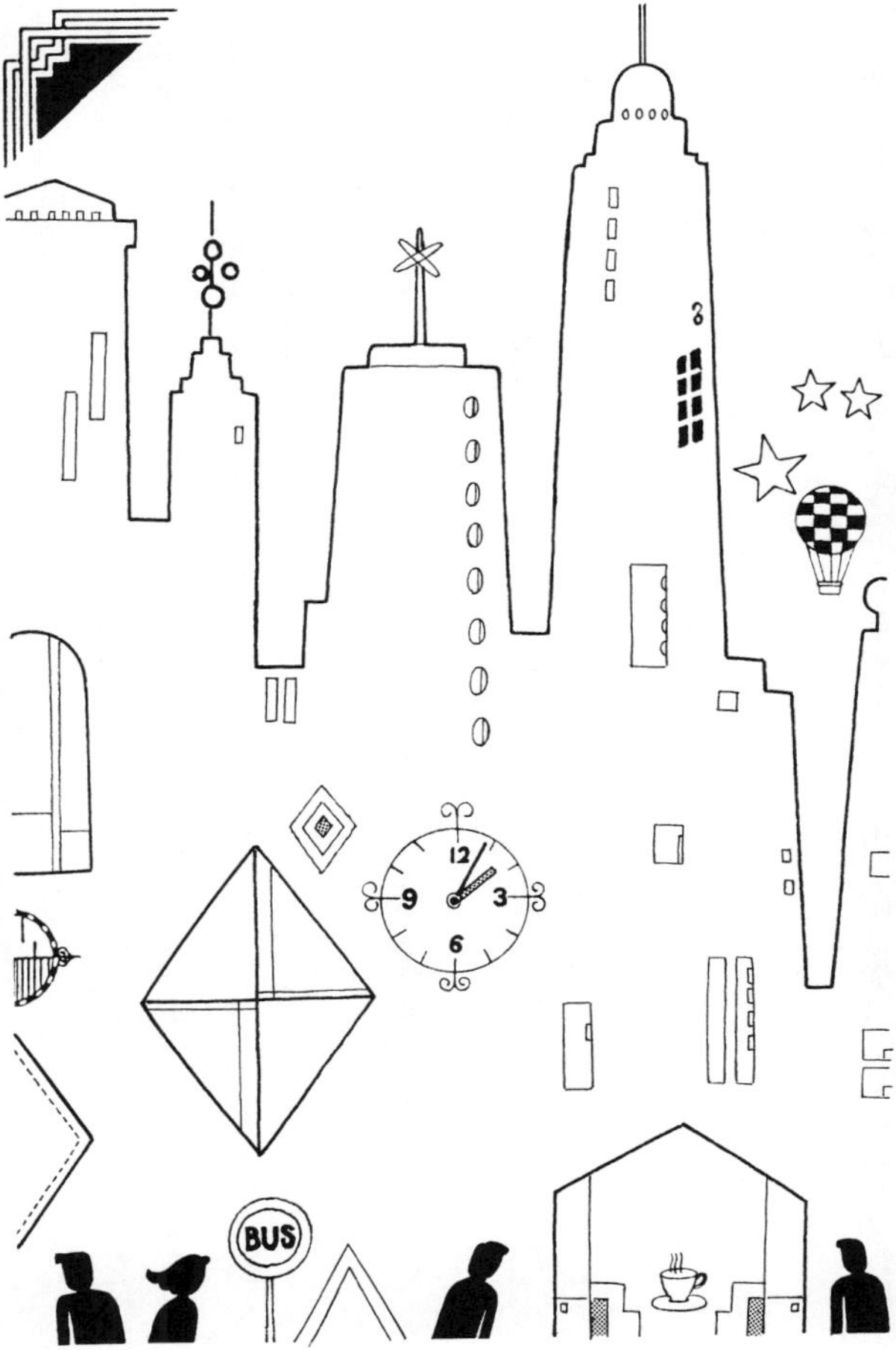
12
9
3
6
BUS

「では、きょうは途中で酒など飲まず、まっすぐ帰ってくれ」

「そして、電話の指示を待つのですか」

「そういうことはない。いいか。夜の八時になったら、電灯を消し、ロウソクをつけ、サキザキニシ、カンピララととなえてくれ。くりかえしてだ。電話がかかろうが、訪問者があろうが、留守をよそおって相手になるな」

「どれくらいの時間です」

「火がもえつきるまでだ」

老課長は五センチほどの長さの細いロウソクを出した。それを受け取りながら、青年は聞く。

「そのあと、どうするのですか」

「それだけでいい」

「なんでまた、そんなことを……」

「いま、わが社では、大きな契約をとろうとしている。それを、うまく進行させるためだ」

「しかし……」

「きみにはきみの理屈があるかもしれないが、この指示には従ってもらわなければならない。入社の時に、業務命令には従うと約束したはずだ。それに、良心的にどうしてもやれないという行為ならべつだが、これはそういうものじゃないと思うが」

「はあ」

「また、これは企業秘密でもある。他人に話してはならない。いいな」

老課長の声には迫力があった。

「は、はい」

「では、たのんだぞ」

「わかりました」

そうは答えたものの、わけがわからないまま青年は帰宅した。こんなことが、なにをもたらすのだ。

それでも、夜の八時になると、ものはためしと、それをはじめた。ロウソクをつける。

「サキザキニシ、カンピララ。サキザキニシ、カンピララ……」

うす暗いなかの、あやしげな文句。幽霊でもあらわれてくれるのかと思い、最初のうちはからだをかたくしていた。しかし、いっこうに、そんなけはいはない。

そのうち、ばかばかしくなってきた。なんで、こんなことをやらなければならないんだ。くだらない。なにが秘密だ。こんなこと、大まじめにやったなどと、ひとに話せたものじゃない。

青年は電灯をつけ、テレビをつけ、それを見るほうに熱中した。気がついてみると、ロウソクはいつのまにかもえつきていた。

翌日、営業部に出勤すると、部長にたしなめられた。

「きみはまだ、推進課に属している。戻れと言われるまではな」

「そうでした」

老課長のところへ行くと、机の上に書類をひろげ、なにかひとつずつチェックしながら首をかしげ、つぶやき、顔をしかめている。

「おはようございます」

青年があいさつすると、老課長は立ちあがった。うながされるまま、別室に入る。

「どうも、うまくはこんでいないのだ。きみは、指示どおりやってくれたな」

「はあ、いちおう」

「ふしぎでならん。どこかで、手抜きがなされていたらしいのだ。これに関係した社員を全員、くわしく調べなおさなくてはならなくなる。やっかいなことになった」

かなり深刻な表情だった。青年は言う。

「それが重大なことなのですか」

「もちろんだ。いいか、もう一回たしかめる。きみは営業部の仕事で、でたらめの報告書を提出したことがあるかね」

「ありませんよ」

「この課においても、それと同じと思ってもらいたい。うそは困る。正直に言ってくれ。いまなら、まだ手が打てる。わたしの指示どおりに、やってくれたかね」

真剣な口調だった。青年はあくまでしらを切りつづけようかと思ったが、そうなると、だれかほかの社員に迷惑が及びかねないようだ。事態には処理の方法があるらしい。

「申しわけありません。じつは、途中でやめてしまいました」

「そうだったか。それなら、わけがわかる。よく、ありのままを話してくれた」

「どんなつぐないでもいたします。なにか、ご命令いただけませんか」

頭を下げる青年に、老課長は手帳のようなものを出して、のぞきこみながら言った。

「反省してくれればいいのだ。さてと、きみ、左手をズボンのポケットに入れてみてくれないか」

「こうですか」

「そうだ。そのまま出さないでいてくれ」

「いつまでですか」

「二十四時間。つまり、あしたの今までだ。わたしの部下は、地方に出張している。退社まで、その机を使ってくれ。その左手をポケットから出すなよ。きょうは帰宅しても風呂に入らず、下着もきかえないでくれ。大変だろうが、これも社のためだ」

「はい」

「なるべく、さりげなくふるまってくれ」

「だれかに聞かれたら、下腹が痛くてとでも答えておきましょうか。その程度なら、話してもいいのでしょう」

「そうだ、その調子だ」

「ところで、きょうの仕事は……」

「そうそう、それがあったな。社員名簿の整理でも、やってもらうとするか。植物に関係のある姓。そのほか動物、鉱物、天文、地理などと、関連によって分類はされているのだが、二つの分野にまたがっている姓のもある。確認しながら、それに印をつけてくれ。いつ必要になるかもしれない」

「はい」

きのうの怠慢を告白したあとなので、その必要性について聞ける状態にはなかった。また、どうせわかるような説明は、されないにきまっている。

その日は、帰宅してからが、ひとさわぎだった。食事はなんとかなった。問題は、眠った時だ。青年は徹夜の覚悟をした。しかし、ねむくて、どうしようもなくなる。考えたあげく、青年はひもをさがしてきて、左手がポケットから抜けないよう、ベルトになんとか巻きつけた。

朝になると、左手はそのままポケットのなかにあった。ほっとする。あと、もう少しだ。電気カミソリでひげをそり、しわのよったズボンと上着のまま出社する。

まず、推進課の老課長に報告。

「ご指示どおり、いたしました」

「そのようだな。よくやった。おかげで、あの、大きな契約はうまくまとまった。きみのしたことは、記録される。もっとも、前回の手抜きは減点となるがね。プラスはプラスなのだ。だから、苦労がみとめられないといった不平をこぼさないでくれ。他人に、とくに社外でこぼしたりしたら、大減点となる」

「はい」

「これで、一段落。はじめてのことで疲れたろうから、きょうは、このまま帰って休養していい。あしたから、営業部のほうへ戻って働いてくれ。また、なにかあったら、たのむ」

青年は次の日から、もとの席での仕事となる。それにしても、推進課でやらされたあれは、なんだったのだろう。となえろと言われた、妙な文句。あの時、得意先を招待しての宴会でも開かれていたのだろうか。そして、そのあとのポケットの左手は……。

しかし、同僚に話すわけにもいかない。話題にしたりしたら、すぐさま推進課へ報告されてしまうだろう。組織の一員として働くとなると、自己を殺さなければならない場合もある。そんな話は聞かされていたが、これもそのひとつというべきなのだろうか。

三カ月ほどして、青年はまた推進課の指示を受けることになった。老課長は言う。

「今回は頭を使う仕事で気の毒だが、やりがいもあるだろう。ここに地図がある」

机の上にそれがひろげられた。かなり大きい。青年はのぞきこむ。

「世界地図ですね」

「そのなかで、Aではじまる国名、地名をさがし出し、ボールペンでアンダーラインを引いてくれ。そのへんにあいた席が、ないな。仕方ない。会議室でやってもらうか。

おそらく、退社時間までには終るまい。あとは持ち帰ってやってくれ。残業手当は充分につける。あしたの出社がおくれても、遅刻あつかいはしない。見落しがないようにな」

「必ず、ご期待にそいます」

青年はそれをはじめた。やっかいな仕事ではあるが、単調でつまらないといったことはなかった。それは、下宿へも持ち越された。

なんとかやり終え、さらに緯度、経度のます目をひとつずつ順に再点検した。あけ方ちかくまでかかってしまった。

ひと眠りして、昼ごろ出社。それをさし出す。

「やってきました。完全と思います」

「ごくろうだった。大変だったろう」

ねぎらいながら老課長はそれを受け取り、折りたたみ、くずかごへと入れた。

「あ、捨ててしまうのですか。あれだけ努力してやったのに」

「やったという行為そのものが大切なのだ。そこに意義がある」

「なにが、どうつながっているのです。あなたの指示については、理解できない点がございます……」

「大声を出すな。別室で説明する」

二人きりになると、青年は言った。

「はっきりさせて下さい。この課では、ぼくの性格のテストをしているのですか。それならそれで、もっとまともな方法が……」

「そんなことなら、入社の時にもやっているし、上役も判定しているだろう。きみの今回の行為は、社のために役立ったのだ」

「どんなことです」

「外国へ出張中の社長が、政情不安の国に滞在中だったのだ。そこで、万一のことがあってはと、きみにあれをやってもらったのだ。保証のためとでもいうべきかな」

「もし、それをやらなかったら、社長の身になにかが……」

「起ったかもしれないし、起らなかったかもしれない。しかし、社のためにならない形に発展してからでは、とりかえしがつかないのだ」

「そのあいだの関連なんですよ」

「営業部にいて、一日中そとの得意先をまわって、なにも収穫のなかった日もあるだろう。そんな時、むだな一日をすごした、机で雑誌でも読んでいればよかったと思うかね」

「そうは思いません。上役は、ちゃんとわかってくれているはずです」

「それと似たりよったりだよ。経験の長い者、上の地位にいる者、それらの指示には従うべきなのだ。そもそも会社というものは、それぞれ独自の方針を持っている。おもてに出せないやり方もともなって……」

「わかるような気もしますが……」

　つぶやく青年に、つりこまれるように老課長は言った。

「ずっとむかし、倒産寸前までいった時、わが社の守護霊が……」

「なんですって」

「いや、なんでもない。いずれ、昇進するにつれ、少しずつわかってくることだ。また、知らないほうが、きみのためだろう。秘密は守られたほうがいい。企業間の競争は、きびしいものなのだ」

「その点は、たしかです」

「だから、あらゆる手をつくさねばならない。わたしをはじめ、業績を悪くしようなど考えている社員はいない。それならそれを、なんらかの形であらわせというのが、ええと、その、社の方針というわけなのだ」

「微妙なものがあるってことは、わかりました。そこで、あとひとつだけ教えて下さい。よその社でも、こんなことがなされているのですか」

「わたしは、わが社のことしか知らない。しかし、常識から考えて、どの会社でも利益をあげるためには、法的に許される可能な範囲で、あらん限りの万全の努力をしているんじゃないかな。それぞれ、やり方はちがうかもしれないがね。どう思う」

「ありうることですね」

「よその社のことはわからないが、なかにはもっと、邪悪な手法にたよっているのもあるかもしれない。ここがそんな会社でなかったことを、感謝すべきじゃないかな」

「そうですね」

営業部で青年は成績をあげていった。

やがて、ある女性と知りあい、結婚した。そこにいたる経過については、くわしく書くこともない。

二人は、子供ができるまで、とも働きをつづけることにした。適当な住居も買いたいし、将来のため貯金のふえるのに越したことはない。青年は言った。

「会社づとめなんだ。時には帰りがおそくなることも、うちへ妙な仕事を持ちこむこともあるかもしれない。わかってくれるね」

「ええ、あたしだって、いまでもおつとめしているんですもの。いろいろあることぐらい、知ってますわ」

会社で青年は、時たま推進課へ呼ばれる。

残業をさせられ、だれもいなくなった屋上へ出て、米粒を並べて指示された図形を描き、手をたたいたあと、それをあとかたもなく回収することもやった。

会議室にこもって、紙幣をナンバーの少ないのから順に重ねるという手間のかかることもやった。それは経理課の人へ渡され、銀行へと運ばれていった。

こんなことが、はたして役に立っているのだろうか。社員をひとつにまとめるための、暗示のようなものではないのか。そう考えたこともあったが、老課長からは、そんな印象は受けない。青年はしだいに、当然のこととして従うようになっていった。

かりに、手を抜いたり、だれかにしゃべったり、ほかの社へ移ったりしたとする。しかし、そのあと、それをおぎなうため、老課長が社員のだれかを呼んで指示する。一見、無関係、無意味と思えることなのだが、ある行為が熱をこめておこなわれるのだ。その結果、どんな形の災厄がその人の身にふりかかってこないとも限らない。へたにさからったりしないほうが、いいのだ。

老課長も青年が結婚してからは、あまり妙な指示はしなくなった。家庭からよそへ秘密のもれるのを防ぐためだろう。とにかく、ありがたい配慮だった。

ある夜、青年が営業の仕事でおそくなっての帰途、バーから苦しげなようすで出てきた同僚を見かけた。酒の飲めない体質のはずなのに。そばへ寄って声をかける。

「どうした、大丈夫か」

「ええ。ほっておいて下さい。これは……」

と言われて、青年ははっと気がつく。たぶん、推進課の指示なのだろう。これだけの苦痛なのだから、よほどのことを裏で助けているのだろう。それがいま、自分のたずさわっている取引きに関することなのかもしれない。世の中には、理屈で割り切れないことが多いからなあ。

青年はまたも推進課の老課長に呼ばれ、こんな指示を受けた。

「きょう、もし忙しくなかったら、いつもの二倍の時間をかけて帰宅してくれないか。毎朝の出勤で、会社までどれぐらいの時間で来ているか知っているだろう。その二倍というわけだ。五分ぐらいのずれは仕方ないがね。なるべく正確に。要は熱意なんだ」

「やりましょう。社のためです。ワイフのつとめ先に電話して、知らせてかまいませんか」

「いいとも。急な仕事で残業とだけならね。連絡なしでおそくなり、あれこれ質問されたりするよりはいいだろう」

　その日、青年はいつもとちがった帰り方をした。方角のちがう電車へ乗り、かなりのまわり道をすることにした。ただ時間をつぶせばいいというのではない。帰るという行動に、時間をかけなくてはならないのだ。

　ある駅でおりる。公園を抜け、はなれた商店街を通り、それで帰宅すれば、だいたいちょうどいいのではなかろうか。青年は大ざっぱな計算をした。夜の公園を歩くと、何組かの男女がベンチに腰をかけ、楽しげに話しあっている。その時、青年は見るべきでないものを見てしまった。彼の妻が見知らぬ男と、親しげに手をにぎりあい、ささやきあっている。

「あ……」

　どちらからともなく、声をあげる。しかし、青年はそのまま通りすぎた。なにしろ、会社のための行動なのだ。よけいなことで時間をつぶしたりして、よくない結果となっては一大事なのだ。

　予定の時間ぴったりに帰りつくと、妻が青ざめた顔で迎えた。

「あなた、さっき、公園であたしを見かけたでしょ」

「ああ」

「まさか、あなたがあそこを通るとは思わなかったわ。あなたにどう怒られても、仕方ないわ。もう、どう弁解してもしようがないけど、あれには……」

ひと息つく妻に、青年は言う。

「わかってる、わかってる。なにも、むりに話すことはないよ。とも働きなんだ。きみも会社につとめているんだから……」

問題の部屋

この地方都市で、そのホテルはかなり立派な建物だった。新しいうえに、階数も多く、屋上へのぼれば山や海を見ることができ、いい眺めだった。

まあ、そんなことは、どうでもいい。

朝の九時ごろ、ロビーのあたりはざわついていた。宿泊客たちが、つぎつぎとチェックアウトをしているのだ。

そのお客のひとりに、三十歳ぐらいの男がいた。身なりもいいし、かかえている鞄《かばん》も高級な品だった。しかし、フロントで文句を言った。

「いったい、どういうつもりで、ぼくをあんな部屋にとめたのだ。責任のある人の、説明を聞きたい」

フロント係長が、その相手になった。

「はい、わたくしがうけたまわります。どんなことで、ございましょう」

「ここでは、ほかのお客さんの、じゃまになる。そう簡単にすむことじゃない。あっちで話すとするか」

お客の男は少しはなれたところの椅子に、深く腰をかけた。フロント係長は、そばに浅くかけて言った。

「なにか、サービスの点ででも、ゆきとどかぬことが、ございましたでしょうか」

「結果的にはそうだ。信じてくれるかどうかはわからないが、まず、ありのままを話すよ。きのうの夜だ。十一時すぎごろかな。眠ろうとして、ベッドに横になった。あかりを消してね。もっとも、まっ暗だと眠れない性質なので、そばの小型机の下の、小さなライトだけはつけておいた。ここまでは、わかるね」

「はい。そのようになさるかたは、多いようでございます」

「うとうとしかけた時に、ふと人のけはいを感じた。なにげなく目をあけてみると、なんと、そこにいるじゃないか」

「はあ……」

フロント係長は、顔をしかめた。それにかまわず、男は話す。

「ゴキブリが出たというのなら、まだわかるよ。それがなんと、若い女なんだ。部屋のなかを、物音ひとつ立てず、ゆっくりと歩きまわっている。最初は、だれかがまちがえて入ってきたのか、しのびこんできた泥棒かと思ったよ」

「ごもっともです」

「いずれにせよ、若い女なのだ。身の危険は、あまり感じなかったな。しかし、そういったたぐいじゃないと、わかったんだ。部屋のなかは、まっ暗ではない。そいつのからだをすかして、むこうの物が見えるんだ。その女のむこうに、椅子がある。それの全部が見えるんだ。そのことに気づいたとたん、ぞくっとしたぜ。それがどんな気分かは、実際に体験したものでなければ、わからないだろうな」

「さようでございましょうな。それから、どうなさいました」

「どうもこうもないよ。ふるえる手をのばして、照明のスイッチを入れた。部屋が明るくなる。その女の姿は、どこへともなく消えていた。さあ、それからだ」

「はあ」

「フロントへ電話しようかと思ったが、この時間では、だれもいないだろう。また、だれか来てくれたはいいが、女は消えてしまっている。そうなったら、立場の悪いのは、ぼくのほうだろう」

「そうなりましょうな」

「もう、部屋を暗くする気にはなれない。またも出現されたら、たまったものじゃないものね。しかし、朝まで起きているわけにもいかない。鞄のなかから睡眠薬を出し、ポケット瓶のウイスキーといっしょに飲みこんだってわけさ。ことわっておくけど、ぼくはそんな薬の常用者じゃないよ。製薬会社の営業部員なんだ。わが社の何種類かの製品を持って、この地方へ出張で来たのさ。それが思いがけなく役に立った。いやあ、よくきいたな。明るいなかで、なんとか眠れたものね」

「それはそれは」

「朝になり、目がさめた。もちろん、女の姿はない。念のためにとドアをたしかめたが、ちゃんとチェーンがかかっている。どの窓も内側から止め金がかかっている。つまり、正体はなんだったたか、わかるだろう」

「さようでございましたか」

うなずくフロント係長に、男は言った。

「いやに、すなおですな。さっきから、そこが妙にひっかかるんだな。まさかとか、夢とか、幻覚とか、好きな女のおもかげとか、そんな反論がちっとも出ないじゃないか。普通だと、そう言うところだろう」

「お客さま第一。それが、このホテルの営業方針でございますので」

「誤解されたくないから、強調しておくよ。ぼくは姓名、住所、勤務先、みな正直に宿泊カードに記入した。身分証明書も、この通り、持っているんだ。まともな会社の、まともな社員なんだ」

男は、証明書や名刺などを出して見せた。

「お疑いなど、いたしません」

「でまかせを言って、値切ろうなんてつもりはないんだ。領収書を持って帰れば、宿泊費は会社で払ってくれる。この点も、わかってもらいたいんだ」

「おっしゃることは、よくわかります。さぞ、ご不快でございましたでしょう」

「いやに、わかりがいいな。そこが、かえって気になるんだな。なぜなんだい」

男に問いつめられ、係長も答えなければならなくなった。

「じつは、あのお部屋におとまりになったかたで、前にもそのようなことをおっしゃったかたがおいででしたので」

「やはり、そうだったのか。そうとわかっていたのなら、なぜぼくを……」

「なるべく使わないようにしていたのですが、あいにくと昨夜は、ほかの部屋がいっぱいでございまして。それに、あるいは一時的な現象、つまり、そのかたにとりついている、あれかと思いまして……」

「そのあげくというわけか。人物でなく、あの部屋にとりついている幽霊だったのだな。それにしても、ぼくは精神的被害を受けたんだ。ちょっと、ひどいと思わないかね」

「いかようにでも、おわびいたします……」

それから、少しやりとりがあった。係長は宿泊代をまけますと申し出たが、男は、それだと、いいがかりをつけたように思われると断わった。そのあげく、料金は支払い、それと同じぐらいの金を、おわびとして受け取るということで片がついた。

会社づとめの男にとって、それは予期しなかった副収入になるわけだ。つまり、個人的な口どめ料という形だった。男は言う。

「今夜、にぎやかなバーで飲み、忘れる費用にさせてもらうよ。しかし、なんで、あの部屋に出るようになったんだい」

「それが、ぜんぜんわからないのです。新築の建物で、出来てから事件らしいものは起っておりません。ですから、手のつけようもないのでして……」

「変な話だな。まあ、いい。すんだことだ。じゃあ、さよなら」

お客が帰っていったあと、フロント係長はつぶやく。

「やれやれ、なんということだ。いまの話、でまかせとも思えない。しかし、世の中、頭のいいやつもいるからなあ。こっちの知らぬところで巧妙に連絡を取りあって、妙な話を作りあげ、あわよくばただで泊ろうなんて考えつくやつだってないとは限らない。それだったら、こっちはお人よしだ。よし。ひとつ、あの部屋で寝てみるか……」

その夜、フロント係長は、その部屋で眠ることにした。このホテルへつとめて、そんなことをするのは、はじめてだ。どうにもおかしな気分だった。

お客の身となってあれこれ考えているうち、やがて眠くなる。ここに幽霊が出るなんて、信じられない。小さなライトだけ残し、あかりを消す。そのうち、静かさのなかで……。

ふと空気の動いたような感じがし、目をあけてみる。なんと、それがそこにいるではないか。女は係長を無視しているように、部屋を歩きまわっている。皮膚のふるえが、足から頭までのぼってきた。

どういうつもりなのだろう。そのうち、こっちへ来て、顔でものぞきこまれたら……。

そう考えた時、恐怖がいっぺんに爆発した。ころげるように床に落ち、はいながらドアへとむかい、やっと廊下へ出る。そして、宿直室へとたどりついた。

そこにいた、夜警の人が聞いた。

「どうかなさいましたか。顔色が、よくありませんね」

「いや、お客用の部屋で寝てみようとしたんだけど、なんだか落ち着かなくてね。いやな夢を見た。ここで眠らせてくれ。そうだ、そのへんに酒があったな。とにかく一杯飲んでからだ」

ホテルの信用にもかかわることなので、こういう秘密は、内部の者にも話さないほうがいい。それにしても、本当に出現するとはなあ。顔つきから着ている服のデザインまで、はっきり思い出せる。あの問題の部屋は、これから、どうあつかったものだろう。

いい案が思いつかないまま、何日かがすぎた。あの部屋をずっと使わないでおくわけにもいかない。といって、だまってお客をとめれば、そのたびに文句が出る。

なにげなく玄関のほうへ目をやると、ひとりのお坊さんが入ってきた。そうだ。なぜ、常識的な方法を考えつかなかったのだろう。フロント係長は、そばへ歩み寄って言った。

「お食事でございますか、おとまりでございますか」

「わたしは修行をしながら、旅をしてまわっている者です。しかし、この町には、あいにくと同じ宗派の寺がない。一夜の宿をさがして、ここへ寄ったのです。いちばん安い部屋は、いくらぐらいですか」

「さようでございましたか。あなたさまのようなかたなら、ただでおとめいたします。宿泊カードなど、ご記入の必要はございません。わたくしがご案内いたします。さあ、どうぞ、こちらへ……」

「まことにありがたい申し出だが、いくらなんでも、そこまでご迷惑は……」

「いえいえ、これにはわけがございまして……」

　係長は、いっしょに歩きながら説明した。こういうことで、困りきっている。あの迷える魂をなんとかしていただければ、これ以上ありがたいことはない。

「……よろしく、お願いいたします」

「そうでしたか。なんとかやってみましょう。わたしとしては、とめていただけるだけで、ありがたい」

　その返事で、係長はほっとした。なんとか解決するだろう。きょうはこれで仕事を終らせてもらうと部下に言い、あとをまかせ、肩の荷を下したような気分で帰宅した。

　その翌朝、係長は早めにホテルへ出てきて、フロントの仕事についた。あのお坊さんが帰る時に、ひとことお礼を言わなくてはならない。また、自分が一存で無料あつかいにしたことの処理も、しなければならない。

「あの、チェックアウトお願いしたいの」

そう言われ、係長は顔をあげて、一瞬のうちに青ざめた。あの女が、そこに立っている。いつか、問題の部屋で眠ろうとした時に出現した女が。

見まちがえではない。顔も服も、頭のなかに焼きついている。それがいま、目の前に実在し、からだはすけていず、床にはかげが伸びている。係長の足はふるえはじめた。

「あ、あなたさまは……」

「きのうとまった者よ。これが鍵」

その番号を見ると、あの部屋のものだ。

「なんだか変ねえ。あたしの顔に、なにかついてて。ただごとじゃないみたいね」

「そ、そのお部屋に、おとまりになったのですね」

「そうよ。それがどうかしたの」

「なにか、おかしなことでも起りませんでしたか」

「なんにもよ。ハンサムな青年でもたずねてきてくれればよかったけど、そんなこともなかったわ。まあ、それでいいんでしょうね。なにかがあるようじゃ、ホテルが成り立たないでしょ」

「あ、あの、こんなことをおたずねするのはなんですけど、以前に、ここをご利用になったことは……」

「はじめてよ。休暇をとって出かけてきたの。行ってみたいなと思ってたけど、それほど強くあこがれてたわけじゃないわ。ふらっと立ち寄ったのよ。そのせいかしら、意外といいとこね、このあたり」

「それでは、お姉さんか妹さんか、以前にここへいらっしゃって、なにかあったというようなことは……」

女は、顔をしかめながら聞いた。

「たとえば、どんなことよ」

「不運な目にお会いになったとか……」

「なんてこと、おっしゃるのよ。あたしは、ひとりっ子。両親は健在。変なことに巻きこまれた経験なんて、ないわよ。いったい、どう言わせたいの。こんな応対をされるなんて、はじめてだわ。なにがサービスよ」

女は文句を言いはじめ、係長は気がついてあやまった。

「まことに、申しわけございません。つい……」

「つい口をすべらせるなんて、ホテルの人のやることじゃないわよ。せっかくの旅の思い出が、めちゃめちゃよ。それに、さっきの、あたしを見た時の顔つきはなによ。

幽霊にでも出あった時のような、目つきだったわ」

「そうおっしゃられると、弁解の言葉もございません。いろいろなことが、つづきましたので」

「そちらになにがあったか知らないけど、あたしは、ただの旅行者よ。それをいやな気分にさせること、ないじゃないの。こっちは、なにもしてないのに。あたし、ちゃんとした会社につとめているのよ。宿泊代は、クレジット・カードで払うわ。身もとがたしかだという、証明になるでしょ。盗難とどけの出ているようなカードじゃないわよ」

こうなると、係長はどうにもいいわけのしようがない。それに、頭までおかしくなりそうだ。幽霊のはずの女が、健康そのものといった形で、明るいなかに立っている。

そして、言うことが、いちいちもっともなのだ。係長は職務職務とつぶやいてから、話しかけた。

「ちょっと、あちらでご相談が……」

このところ忙しく、睡眠不足で、やっと眠ると悪夢にうなされる。いえいえ、あなたに似た人を殺したなんてことはありません。以前におとまりになったかたが、つまらない話をなさったりしたので。あなたさまは、本当におきれいです。少年のころにあこがれた人にどこか似ていて……。

　自分でも理屈が通っていないのを知りながらも、あれこれ弁解をつづけ、汗を流しながらひたすらあやまり、宿泊代はけっこうですから、その費用でどこかでお楽しみになって下さいと申し出た。

　どうにか熱意が通じたのか、ちゃっかりした性格の女だったのか、なんとか承知してもらうことができた。

「わかったわ。でも、ただなんて、お気の毒ね」

「すべて、当方の不行きとどきのせいでございますから。それから、くどいようですが、くれぐれもお気をつけて、ご帰宅なさいますよう」

「妙なかたねえ。あたしが自殺でもしそうに見えて……」

　ただということに満足してか、女は笑いながらホテルを出ていった。それを見送り、フロント係長はひと息ついた。

「やれやれ、なんとか片づいた」

　部下のひとりが話しかける。

「なにかやらかしたのですか、いまの女」

「いや、たいしたことじゃない。しかし、ふしぎだなあ。あの部屋には、お坊さんをおとめしたはずなんだが」

「そんなことは、ありませんよ。宿泊カードを調べてみましょうか」

「いや、それにはのっていないよ。わたしが案内したのだ。たしかにとめたはずだよ」

「じゃあ、だれか荷物を運んだ者がいるかどうか、聞いてみましょう」

「だめだな。あの坊さん、小さな包みのほか、なんにも持っていなかった。きみは、坊さんの姿を見かけなかったかい」

「さあ、きのうは、お客が多い日でしたからね。思い出せません。そのかた、とまる気でいたけど、なにか用事を思いついて、宿泊を中止なさったんじゃないでしょうか」

「そうかもしれないな。それにしても、わけのわからないことって、あるもんだなあ」

「そのお坊さん、大切なお客だったのですか」

「そんなことはない。まあ、いいんだ。とにかく、あの女の客は帰っていってくれたのだ。もう、問題はなにもない……」

フロント係長はつぶやくように言い、これでやっと一段落という気分になった。あの女が戻ってくることはないだろう。自殺をしそうなようすもなかった。もちろん、帰宅までのあいだに、事故にあわないという保証はない。しかし、そうなったところで、このホテルに思いが残るとは考えられない。まあ、これで、なにもかも正常になるというわけだ。

その次の朝、部下が係長に言った。

「こちらのお客さまが、なにかお話ししたいことがおありだそうで」

四十五歳ぐらいの男だった。フロント係長はうながされるままロビーの椅子に腰をかけ、おそるおそる聞いた。

「わたくしが、お客さまに対しての責任者ということになっております。なにかご不満な点でも、ございましたでしょうか」

「率直に言いますが、なんで、わたしをあのような部屋にとめたのです。好みに合わせてというわけですかな」

「なんのことで、ございましょう……」

と言いながら、係長はお客の持っている鍵を見た。その番号は、まさしくあの部屋。相手は言う。

「すると、わたしがはじめてなのかな」

「どうなさいました」

「夜もふけたので、眠ろうとした時にだよ、ベッドのそばに出現したのさ」

「そうでしたか。しかし、そんなはずはないのですがね。もう、ありえないはずだが……」

「ありえないことだからこそ、幽霊じゃないのか」

「すると、若い女が……」

「そういうのなら、いいよ。大歓迎さ。しかし、幽霊はいいんだが、よりによって坊主の幽霊とはねえ……」

「なんですって。やっぱり……」

がっくりしたフロント係長に、その男は言った。

「その口調だと、なにかわけがありそうだな。いやいや、恐縮することはない。宿泊代をまけろなんて、言う気もない。わたしは、こういう体験が好きなんでね。ひとから聞いて、わざわざそういう部屋にとまりに行ったりもする。うまく出てくれることは、あんまりないがね。しかし、ここのはすばらしい。割増しを払ってもいいくらいだ。いい話のたねになった。おっと、これも気にすることはない。ホテルの名は決してしゃべらないから」

「そうおっしゃっていただけると、助かります。ありがとうございます」

「だから、そっと教えてもらいたいんだ。新しいホテルに、坊主の幽霊。面白い取り合わせだよ。あれこれ話しかけたが、ぜんぜん反応がないんだ。幽霊って、そんなものらしいがね。ところでだ、あれが出るようになったいわれを、話してくれないかな。筋道のたつようにだぜ……」

メモ

その男は、翻訳を職業としていた。としは三十歳で、まだ独身。その分野で一流というほどのことはなかったが、小さなマンションの一室に住み、なんとか食ってゆくことはできた。

また、週に二回ほど、近所の塾に出かけ、英語を教えている。あまり時間にしばられない、気ままな日常だった。男は自分でもそんな性格だと知っており、この道を選んだのだ。独身なのは、そのせいでもあった。

といって、怠惰というわけではなかった。一日のうち何時間かは、自宅で仕事をする。

その日の夕方、以前から依頼されていた、外国の大衆むけ健康法の本を、やっと訳しおえた。

「やれやれ、これで一段落だ……」

このたぐいの本は、評判になればとてつもなく売れるし、うまくいかないと、まるでだめなのだ。かつて男の訳した本がベストセラーになったことがあり、このマンションはその時に買った。

「……なんとか売れてくれれば、いいがなあ。しかし、これはかりは、やきもきしても、どうしようもない。とにかく、一杯やりに出かけるか……」

男は外出し、歩いて五分ほどのところにある一軒のバーに入る。家族的なムードがあり、彼の行きつけの店なのだ。簡単な食事もできる。

「あら、いらっしゃい」

そこのママが迎える。男は言った。

「ひと仕事おわったので、祝杯といったところだよ。今晩は景気よく飲もう……」

グラスを重ねているうちに、会社づとめの青年が入ってきた。入社して二年ほど、やはりここの常連で、感じのいい人柄。男を見て、声をかけた。

「あ、先輩。お会いできて……」

出た大学が同じだとわかって以来、先輩と呼ばれることになってしまっていた。男は文学部、青年は経済学部で、あまり関係はないのだが、話題にこと欠かないし、なんとなく親しくなってしまったのは、たしかだった。

「その口調だと、また、なにか、たのみごとがありそうだな」

「ええ、まあ、ちょっとね。とりあえず、ぼくのおごりで……」

青年は頭に手をやりながら酒をすすめ、男はうなずく。

「遠慮なく、いただくよ。どうせ、例のことだろう」

外国とやりとりするビジネスの文書。来信のなかの微妙な言いまわしの部分を教えてやったり、返信用の文章をなおしてやることが多かったのだ。そして、その謝礼が、ここで飲んだ代金でという慣習になっていた。そう高くはない店なのだ。

「まったく、いつも、おせわになってます。しかし、きょうのは、ぜんぜんちがったことでして……」

青年は口ごもり、男は首をかしげた。

「となると、女性関係か、あるいは会社でのトラブルか。そういうたぐいは、わたしの手にあまるなあ。ほかならぬ、きみのためだ。できる範囲でなら、なんとか手伝うがね。で、それは、やっかいな問題なのか」

「そんなことは、ありません。それ自体は、簡単そのもので……」

「それだったら、なにも、わたしにたのまなくてもいいだろうに」

「それが、事情がありましてね。適当な人が、いそうでいないという形なんです。ですから、ここへ入って先輩をみかけたとたん、この人ならと、思わず、あ、と声をか

e exploration

けてしまったしだいで……」

男は、目を白黒させた。

「なにがなんだか、さっぱりわからないな。つまり、どうなんだ。早いとこ、片づけてしまおうじゃないか」

「この先に、小さな公園がありましたね。いまの時間なら、人もいないでしょう。あそこで、ちょっとお話しを……」

「ここじゃ、ぐあいが悪いというわけか。内密にしたいらしいな」

「それほど大げさなわけじゃ、ないんです。とにかく、すぐすみますから」

「それでは行くか。好奇心もわいてきた。ママ、すぐ戻るからな……」

飲みかけのグラスをそのままに、男は青年といっしょに店を出た。

その公園に、人かげはなかった。

「さあ、お望みの場所へ来た。だれにも盗み聞きされない。さあ、話を聞くとするか」

「じつは、それが逆なんです」

「いったい、どういうことなんだい」

ふしぎがる男に、青年はポケットから、メモのような小さな紙片を出して言った。

「ここに書いてある文句、たぶん呪文《じゅもん》だと思うんですけど、それをぼくにむかって、となえて下さい。そして、最後に、やっと気合いをかけて下さい。それだけでいいのです。お願いしますよ、先輩」

「妙なたのみだな。しかし、それで気がすむのなら……」

男は街灯の光で、それを見た。二、三回、口のなかでつぶやいてから、口にした。

「……ガボネリ、パギパギ、ナンザッキ。やっ」

「どうも、ありがとうございました。さあ、店へ戻って、大いに飲みましょう。ぼくからのお礼です」

「これですんだってわけか」

「そうなんですよ」

ふたたびバーでグラスを重ねる。ママが迎えて言った。

「おかえりなさい。それにしても、いやに早く商談が片づいたのねえ」

酒を飲みながら、男は小声で青年に聞いた。当然の疑問だった。

「いまのあれ、なんなのだい」

「知りたいのは、ぼくのほうですよ。あれはどこの言葉なのでしょう。先輩は語学にくわしいから、わかるんじゃありませんか」

「さあ、見当もつかないな。はじめてだな、あんな変なのは。最後の、やっというのは、たぶん日本語だろうが……」

ポケットに入れてしまっていたメモを出そうと、手を入れた。青年は、それをとめる。

「あの紙は、さしあげます。そのうち、なにかの参考になるかもしれませんから」

「それにしても、なんで、わたしがあんなことを……」

「あれにどういう効果があるのか、なんともいえません。むだかもしれない。しかし、ぼくにとっては、やってみる価値のあることなのです。そりゃあ、会社のなかに、親しい同僚はいますよ。しかし、ああいったことをたのむわけには、いかないのです。あいつ、どうかしたんじゃないかと、思われたりしますからね。ぼくの立場が、ぐあいの悪いものになってしまうんですよ。わかるでしょう。そのあたりの事情……」

「ああ、そういうことも、あるだろうな」

「親類の者にも、たのめませんよね。うわさが、変なふうに伝わってしまいますから。ばかげたことを、ちゃんとやってくれ、あとで、あれこれ言いふらしたりしない。そういう人って、いざとなると、あんまりいませんね。先輩みたいな人と知りあいになれていて、ほんとによかった」

「よそで話したりしたら、わたしだって変な目で見られるよ」

「とにかく、お手数をかけました。やっていただけて、ほっとしました」

青年は心から感謝している。男は狐《きつね》につままれたような気分だったが、まんざらでもなかった。人助けをしたことは、たしからしいのだ。

適当に酔って帰宅する。

翌日、男は出来あがった原稿を、書留で出版社に郵送した。

一仕事したという解放感があっていいはずだし、いままでは、いつもそうだった。しかし、なぜかそれがなかった。ないことはないのかもしれないが、それよりもっと強いなにかが、彼を支配している。

むずむずした感じ。

形容すれば、そんなところか。といって、普通にいうそれとはちがう。皮膚がかゆいのでもないし、かこうという気にもならない。からだの内部において、なにかが動きまわっているとでもいうべきか。

「天候のせいかな。気のせいかな。食中毒とは、ちょっとちがうようだ。かぜのひきはじめでもなさそうだ。病院に行くほど苦しいわけではないし……」

時おり、そうつぶやくことで一日がすぎた。出版社へ持参する気にならなかったのも、そのためだった。ぐっすり眠れば、なおるかもしれない。

しかし、その次の日も、それは消えなかった。それどころか、少し強くなってもきているようだ。

「この調子だと、きょうも仕事はできそうにないな」

男は自由業であることを、あらためてありがたいと思った。それにしても、この妙な気分は、いったいどういうことなのだ。ひとりでいると、持てあましてしまう。

夕方ちかく、男は外出し、週に一回は顔を出すことになっている囲碁のクラブへ寄った。みな顔なじみだが、そのなかに近所のお寺の住職がいた。年齢も腕前もほぼ同じということで、まさにいい碁がたき。

「いっちょう、やりますかな」

男が話しかけ、碁がはじまり、熱戦となり、結局は負けた。

「やれやれ、あぶないところでした」

つぶやく住職に、男は話しかけた。

「つまらぬことを、お聞きしますが」

「なんでしょう」

「どうも、なにかにとりつかれたような気分なのです。こんなことって、あるんでしようか。霊魂かどうかは、わかりませんが」

「ないとは、いえないでしょうな。この世界には、解明されてないものは多いのですから」

「いかがでしょう。ひとつ、そのおはらいをしていただけませんか」

「そんな申し出は、はじめてですよ。難問ですなあ。どうやったものか、知らないのです。教えられたこともなければ、書物で読んだこともない。修行をつんだ老僧なら、こつみたいなものを身につけているかもしれませんが」

「だめでしょうか」

「お経を読み、念じてみるぐらいのことは、やってあげますがね。本当に霊魂にとりつかれたのですか」

「そう念を押されると、なんとも……」

「身におぼえはありませんか。誤解にしろ、死んだ人にうらまれているとか。相談あいてにはなってあげますよ。いったい、いつからそうなったのです。なにか心当りは……」

と住職に聞かれ、男は声を高めた。

「あ。そうか。あれだ。ほかには考えられない……」

「どうやら、あなたになにかが起っているのは、たしかなようですね。わたしも、体験してみたいものですな。興味がわいてきました」

「その解決の方法らしきものも、思い出しました。もう、簡単なことなのです。まったく、こんなことは、めったな人にはお願いできない。親しくて、気ごころが知れていて、利害関係のないつきあいの人。あなたをみこんでの、お願いです」

「そりゃあ、できることなら」

「よろしかったら、これからすぐにでも。しかし、ここじゃ、まずいんです。もし、これからお帰りなら、お寺までごいっしょして、そこで五分ほど、いや、一分もかからないと思いますよ……」

男は住職をせきたて、囲碁のクラブを出て、寺へとおもむく。

住職は渡されたメモを見て、ふしぎがる。

「これを読んでほしいと、おっしゃるわけですね」

「はい。できれば、なるべくおごそかに。そして、終りに、やっと気合いを入れて下さい」

「そうまでおっしゃるのなら……」

たのまれるまま、住職はそれをやった。

「……これでよろしいのでしょうか」

「はい。どうも、ありがとうございました。お礼はどうしましょう」

「そんなこと、お気になさらずに。きょうの碁で勝たせていただいただけで、もう充分ですよ。そのうち、またお手合せを」

「ところで、いまの文句、どんな意味なんでしょう。お経かなんかに出てきませんか」

「さあ、こんなの、はじめてですよ。とくにありがたみのある響きでもないし。調べる必要があるのですか」

「いいえ。これでだめなら、べつな方法をやります。神経科の医者へ行くとかね。そのメモはさしあげます。とにかく、お手数をかけました」

　男は帰宅し、眠る。

　翌朝になると、あの妙な感覚は、すっかり消え去っていた。それどころか、非常にすっきりした気分。頭のなかの大掃除がなされたよう。とにかく、すがすがしいのだ。その日、仕事がいやにはかどった。夕方、またバーに行きたくなる。

　店へ入ると、あの青年が飲んでいた。男を見て、声をかける。

「やあ、先輩。どうぞ、こちらへ。それから、このあいだはどうも……」

「まったく、妙なことをしてくれたな」

「それでしたら、いい方法がありますよ。ぼくも、あの時は万一うまくいってくれたらといった程度の、信じ方だったんですが……」

「その先は話さなくていい。あのメモの利用だろう。自分でやってみてわかったよ」

「それじゃあ、しばらくのあいだ、ご不快な思いをなさったわけですね。申しわけありませんでした。あやまります」

「いやいや、きみに押しつけられたせいと知ってから、おはらいをやってもらうまで、ほんのわずかの時間だったよ。それより、その次の日、つまりきょうだが、こんなにもさっぱりした気分。それを味わえたのだからな。これは、ずっとつづくのかい」

「そういけばいいんですけど、だんだんもとに戻ってしまいますね」

「まあ、いいさ。それにしても、どこから、あんな妙なしろものを、しょいこんできたのだい」

「中学時代の旧友からですよ。きのう電話をして聞いてみたら、その先はやつのガールフレンドからだとか。さらにその前となると、やつも知らないようだった。で、先輩はどんな人へ……」

「趣味の同じな知りあいだよ。いまごろ、持てあましているかな。いや、そんなことはあるまい。顔のひろい人だから、あれを話題にし、だれかに渡してしまっているだろう。それに、そのあとでいい気分になるのだから、喜ばれることになるわけだ」

「ふしぎなことって、あるもんですねえ」

「ああ」

二人は酒をくみかわし、その仲は一段と親しいものとなった。男と住職のあいだも同様。珍しい体験を共有しあえたのだ。

一カ月ぐらいして、男はいつものバーで、青年に話しかけられた。

「先輩。ちょっと……」

「なんだい」

「肩をもませて下さい」

「ごきげんをとる、つもりかい」

「まあまあ、いずれわかりますよ。いい気持ちでしょう」

「悪くはないが、とくにうまいとも思えないなあ」

「じゃあ、これぐらいにしておきましょう。もしおひまなら、あしたもここでお会いしませんか」

「気がむいたらね」

男は帰る。あれ、どういうことなのだろう。

その翌朝。またも、あのすっきりした感覚が、からだじゅうにみなぎっていた。その日の仕事の能率は、すばらしかった。

夕方にバーへ行くと、やがて青年が入ってきた。男は言う。

「きょうの気分といったら、なかったよ。あんなこと、どこでおぼえた」

「ほら、いつか話した、中学時代の旧友ですよ。あの妙なのを押しつけたやつ。そいつがたずねてきて、やってくれたのです。やはり、先輩にもききましたか。たぶん、そうじゃないかと思ってやってみたのですが」

「きょうも、やってくれないかな」

「そうはいかないみたいですよ。やつも言っていたし、ぼくもためしにとやってもらったけど、だめでした」

「しかし、少なくとも一回はきくわけだな。そうとわかったら、早いところ、あの人にもやってあげるとするか。喜ばれるのだ。じゃあ、これで失礼するよ」

ママが口をはさんだ。

「あら、もうお帰りなの。なにか楽しそうなお話のようね。どんなことなの」

「こうとわかっていたらねえ。もう手おくれなんだ。あのメモ、どこまで行ってしまったのかな」

「なんのことなのか、わけがわからないわ」

男はバーを出て、お寺へとむかった。

それから、なんということもなく、三カ月ほどたった。夜の八時ごろ、玄関のブザーで男がドアをあけると、あの青年が息をはずませて立っている。

「なんで、こんな時間に。急用かい……」

「まあ、そうでしょうね。先輩の電話番号を、聞いておけばよかった。バーで住所を聞き、ここへ来たんですよ」

「すまなかったな。で、用とは……」

「やつから、ほら、ぼくの中学時代の旧友からですよ。連絡があったのです。三日後の夜の十時、集るようにって……」

港の近くの広場の場所を告げられた。忘れかけていた、あのすばらしい気分への期待感が、反射的に高まった。青年はつけ加える。

「……そうそう。目立たない、活動的な服装でということです」

「きみは行くつもりかい」

「もちろんですとも。先輩がどうなさるかは、ご自由ですがね。ぼくは行きます。できたら、その時にまた……」

青年は帰っていった。

そのあと、男はひとり考えた。何人ぐらい集るのだろう。あのメモは、最後はどうなったのだろう。手渡されるたびに、効力は薄れていったのだろうか。それとも……。

「そんなことより、まず、彼に知らせておこう」

男は住職へ電話をし、それを伝える。親しい仲なのだし、あの妙なものを持っていってくれた義理もある。内密にしておいては気がとがめるし、どうするかは彼のきめることだ。

三日後か。どんな連中が集るのだろう。いやなやつがまざっているってことは、まあ考えられないな。だれとも、たちまちのうちに親しくなれるのではないだろうか。

そして、なにがなされるのかだ。

それから先は、まるで想像がつかない。空から円盤状の物体がおりてきて、宇宙人が出現する。これは夢みたいな話だな。犠牲をささげて、なにか儀式のようなものでもなされるのかな。まさか。

そんなのとは、まったくちがうことかもしれない。スリルのあることかな。集った全員に武器が渡され、犯罪の指示かなんか。いやいや、革命かも。それとも、もっと大がかりな戦争……。

あれこれ考えてみたって、どうしようもない。とにかく、三日後は楽しみだ。なにが起り、なにをやらされるにせよ、そのあとに、あの快適きわまりない気分を味わえることだけはたしかなのだ。

声が……

その部屋の片すみのベッドの上に、三十歳ぐらいの男が横たわっていた。彼は画家で、室内はアトリエ風になっていた。

しかし、芸術的な感じは、あまりしなかった。ないことはないのだが、みすぼらしさのほうが強烈すぎるのだ。貧困きわまる生活を、かなりの期間つづけてきたことは、あきらかだった。

何枚かの絵が、あたりにおいてある。いずれも彼の作品だ。いくら描いても、まったく売れないのだった。食事代にも、ことかいている。やせおとろえていた。それに、からだのぐあいも悪く、時おり、せきをしている。かなりの重態なのだが、医療費だってないのだ。

ひげはのびほうだい、あたりはよごれほうだい。訪れてくる者もない。親類も友人も、これ以上は面倒みきれないと、絶縁状態にあるのだろう。

夕ぐれが迫っている。部屋のなかは暗くなる一方。電気代の未払いのためか、起きあがってスイッチを押す体力もないためか、彼はじっとしたままだった。いまや、気力だけで生きているといったところ。

突然、どこからともなく声がした。

「もしもし……」

名を呼ばれ、画家は目をあけた。しかし、うす暗さのなかに、人の姿はなかった。彼はつぶやく。

「おかしいな。だれかに、声をかけられたような気がしたが。どういうことなのだろう」

「お疑いは、ごもっともです。しかし、これは幻聴じゃありません」

「人影はなく、声だけか。まあいい。わたしは芸術家、合理主義者じゃない。しかし、なにか、用事のありそうな口ぶりだな」

「はい。あなたにお話ししたいことが、あるのです。どうぞ、そのままお聞き下さい。動いたりせず、楽な気持ちで……」

「それにしても、これは、どういうことだ。ははあ、わかったぞ。どうやら、死神が迎えに来たようだ。覚悟はできているよ。事態が一変するなんてことはありえないし、そうなったところで、手おくれだ。しかし、このまま死ななくてはならないというのは……」

「おっと、そのさきはお話しにならなくて、けっこうです。いちおう調査した上で、こうお話ししているのです。あなたの一生は、まことにみじめでした。芸術のために心血をそそぎながら、まるで、むくいられることがなかった。ひとりの理解者もいない」

声の指摘する通りなのだ。画家は、うなずきながら言う。

「それをあわれんで、天使が迎えに来てくれたということか」

「そんなたぐいでは、ありません。もっと現実的な、ご報告をしようというわけです。よろしゅうございますか。いいお話しなのですよ。あなたの寿命は、もうおしまい。これは、どうしようもありません。しかし、五十年後、あなたの業績はみとめられる。だれも名を知らぬ者はないほどになり、あなたの作品ばかりを集めた美術館も作られます」

「なんだって……」

「それどころか、画集は出版されて版を重ね、愛好家のグループもでき、研究会まで作られる。何人もの評論家が、さまざまに論じ、ほめたたえます」

「なぐさめてくれるのはうれしいが、どうにも信じられないな」

画家は首を振るが、声は話すのをやめなかった。

「存命中にみとめられることがなく、死後かなりの期間がたって評価の高まった詩人、学者、思想家などの例を、いくつかご存知でしょう。つまり、あなたも、そういったひとりというわけです」

「そうなれば、ありがたいがね」

「これは事実。確実なことなのです。わたしはずっと未来から、あなたに話しかけているのです」

「未来からだと……」

「なっとくしていただくため、画集の解説の、あなたをたたえた文章の一節をお聞かせしましょう。こんなふうです。この画家はほとばしるような才能と、たぐいまれな色彩感覚と、純粋な情感を持ちあわせていた。しかし、人びとは流行とか珍奇さに支配されやすく、真に価値あるものは盲点となってしまうのが通例で……」

声は五分ほどつづき、やがて、こう終った。

「……新しい時代の幕あけの役をひっそりとはたした人であり、その早い死は惜しみてもあまりある。今後その評価はさらに高まりこそすれ、低くなることは決してありえない。まあ、ざっと、そんなところです」

「うむ、いいことを言ってくれるな。はじめて聞く。どうやら、本当かもしれない。このまま忘れ去られるのかと考えると、死ぬに死ねないところだったが、いまの話を聞いて、ほっとしたような気分だ。もう、思い残すことは、なにもない……」

画家は、安らかに息をひきとった。

時間をさかのぼっていたおれの意識は、現代へと戻ってきた。

「まあまあ、うまくいったというべきだろう。いいことをしたというのが、いつわらざる感想だ。死につつある人への、これにまさるはなむけはないのじゃないかな……」

おれは頭にかぶった装置のスイッチを切り、さらにつぶやいた。

「……最高の安楽死とは、こうあるべきじゃないだろうか。寿命でもあるし、それに、おざなりでなく、事実をありのままに話したのだから」

おれはこの能力を身につけるのに、かなりの苦心をした。もとはといえば少年時代から、タイムマシンに関心を持っていた。しかし、調べれば調べるほど、それがいかに容易でないかを知らされた。物品を過去に送るなど、科学がよほど進歩しない限り、とても不可能。自分のからだをとなると、それ以上に困難だ。

しかし、おれは、あきらめなかった。そこで、発想の転換をやったのだ。物品はだめでも、無形の意識となると、可能かもしれない。それに関して、おれは研究を重ねた。科学書はもちろん、怪しげな秘法の書物まで読みふけった。おかげで、青春時代を棒にふってしまった。

そして、三十五歳になったいま、ついにその方法を開発したのだ。脳細胞を電流によって刺激し、その活力を高め、思念の集中によって意識を過去へと移すのに成功した。

ただし、どういうわけか、過去の人の死の寸前としか接触できない。そして、正確には口と耳による会話ではなく、テレパシーによる意志の疎通なのだ。おそらく、死の寸前において、人の神経は感受性が高まるからなのだろう。

また、これだと、過去の変更というタイムパラドックスも発生しない。私の姿はだれにも見られず、その相手はまもなく死ぬのだ。時間を越えることは、この方法しかないのではなかろうか。

というわけで、おれはこの奉仕活動を思いつき、はじめたというわけだ。その気になれば、功成り名とげて大往生しようという人の死にぎわに話しかけ、あなたのやったことは、将来において極端に批難されると告げることもできる。しかし、おれはそれほど悪質じゃない。

また、そういう相手は、自分こそ偉大だと思いこんでいるから、こっちがなにを言ったって、受けつけないだろう。手間をかけてやるだけ、むだというものだ。

さて、つぎにとりかかるか。おれはふたたび過去の人へ呼びかけをこころみた。

相手は領主に反抗した一味の首謀者ということで、まもなく処刑されようとしている農民。しきりに念仏をとなえている。もはや、助かるあてはないのだ。おれは呼びかけた。

「もしもし……」

名を呼ばれ、その農民は驚いた。牢《ろう》のなかには、ほかにだれもいないのだ。

「な、なんだ」

「くわしくご説明しているひまは、ありません。神か仏の声とお思いになっても、けっこうです」

「迷わず成仏できるのか」

「そういうこととは、ちょっとちがったお話しなのです。できることなら、あなたをお助けしたいが、それは不可能。残念でなりません」

「仕方ない。人間、どうせ、いつかは死ぬのだ。しかし、つまらん世の中に生れたものだよ。こんなことで、虫けらのように殺されてしまうのだ」

「たしかに、お気の毒です。しかし、虫けらあつかいは、されません。あなたの名は後世に語りつがれ、芝居にもなり、さらには碑も立てられ、参拝者もたえないということになるのです。一方、領主は悪人あつかい。いや、それ以下です。その名前さえ忘れ去られる。ね、わずかばかり長生きするより、よっぽどいいじゃありませんか」

「それが本当ならね」

「本当ですとも。事実なのです。わたしは、未来から話しかけているのです。つまり、あなたの何代かあとの、子孫の時代からです」

「未来とはねえ。いったい、どんな世の中なのだ」

　農民は興味を示し、おれは言った。

「とても、ひと口には言えませんね。たとえば、人は乗り物によって空を飛ぶことができ、はるかはなれた人と瞬時に話せる道具ができ、伝染する病気のほとんどがなくなった時代です」

「そんな世の中になるとはねえ。うらやましい限りだ」

「そのかわり、車がひしめき、それによって毎日のように人が死に、音のうるささといったら大変なものですよ。また、一発で何万人も殺せる兵器もありますからね。そうすばらしいとは、いえないんじゃないでしょうか。しかし、いずれにせよ、あなたの名をたたえる人は、つきることがないのです」

「光景を想像しようとしても、どうもうまくいかない。だが、話には妙な真実性がこもっている。そうなるのかもしれないな。となると、わたしの死も、まんざら無意味とはいえないわけだ」

その農民の最期は、落ち着きはらったものだった。

おれの意識は、ふたたび現代へ戻る。

少し疲れはするが、まったく、やりがいのある仕事だった。そして、はじめてみると、対象となる人間は、けっこうあった。だれを優先させなければならないという順は、べつにない。いずれは、その死にぎわに接触できるのだ。

やるためには、なによりもまず、死んだ日時と場所を調べなくてはならない。少しぐらいの誤差はなんとかなるが、あまりに大きくくずれていると、相手のいないところで話しかけることになり、答えがかえってこない。

おれはつぎのやつにとりかかった。あるやくざ者が、まことにみぐるしい死に方をしていた。刀で刺され、出血多量。

「痛い、苦しい、なんとかしてくれ」

そこへ、おれが話しかける。

「あなたは、もうまもなく命がつき、苦しみも感じなくなるでしょう」

「なんと、ひどいやつだ。そんな言葉をかけてくるとは。くそ、力さえ残っていたら、きさまを道づれにしてやるところだ……」

「まあまあ、ちょっと、こっちの話も聞いて下さい。あなたは、ろくでなしだったようだ。しかし、どこか性格的に人に好かれる点があったのでしょう。あなたは後世において、大変な人気者になるのですよ。義理と人情の男、男のなかの男としてもてはやされます。そして、このあたりは観光名所になり、バスが毎日、何台もとまるのです。そのバスとはですね、大ぜいの人が乗り、馬よりも早く走るもののことでして……」

などと説明してやると、やがてじたばたすることもなく、いさぎよく死んでいった。

そのほか、かくれたる先覚者、不運な最期をとげた武士、生前にむくいられなかった悲劇の女性。話しかけるべき人たちは、たくさんいるのだ。どれもこれも死後の評判を知らせてやると、喜ばれたり感謝されたりした。

ニュースを伝えるということが、こんなに楽しいものとは知らなかった。現代人にとってはどうということのない常識だが、過去のそれらの当人たちにとっては、驚くべき、また、すばらしい知識なのだ。

しだいになれてきたころ、友人がやってきて、おれに言った。

「なにやら、妙なことをやっているそうだな」

「ああ、じつは……」

おれは、ことのあらましを説明した。この装置はおれの脳波に合わせて作られており、他人には使えない。それに思念の集中法も、おれだけの秘密なのだ。だから、ひたかくしにすることもない。

「ううん。すごいことを、やってるんだな」

感心する友人に、おれは言う。

「歴史上の人物で、悲劇的な最期をとげた人は、いっぱいいる。しかしね、そのうち、じつはみんな、死にぎわに自分の名が同情に包まれて後世まで残るのを知っていたことになるってわけさ。悪くないことだと思ってやっているんだが、どうだろう」

「べつに、反対する理由もないな。当人にとっては、いくらかの救いになっているしね」

「となると、ますますやりがいがでてくる。ひとつ、資料あさりにせいを出すとするか」

　そのあと、友人はしばらく考えてから、こんなことを切り出した。

「ところで、どうだろう。きみの、そのすばらしい能力を、ぼくのために、ちょっと使ってもらえないだろうか」

「いったい、どんなふうにだ……」

「知ってるだろうが、ぼくの父は、十年前に死んだ。そして、それはあまりに急で、ぼくは死に目に会えなかった」

「そうだったな」

「たぶん、おやじも、ぼくのことを気にしながら死んだのだと思うよ。その死にぎわに出かけて、話しかけてもらいたいんだ。お願いだよ」

「どう言えばいい」

「未来において、あなたのお子さんは、会社で才能をみとめられ、いまや一流企業の部長になり、いずれは重役との評判だ。そして、あれだけの人物はめったにいない、きっと父親が人格者だったからだろうと言われている。そんなふうに、伝えてくれないかな」

「しかし、現実は依然として、三流企業の平凡な社員じゃないか。なにが重役候補だ」

「そこだよ。たのむよ。な、いいじゃないか。きみは、すばらしい友人なんだ。ぼくだって、気分がすっきりするよ。おやじの最期を、少しでも楽にしてやりたい。手おくれと思っていたことが、可能になったんだ。それに、だれに迷惑がかかるわけでもない。な、な……」

「じゃあ、やるとするか。それには、死んだ日時と場所を教えてもらわなければ」

「ありがたい。すぐ調べてくる」

こうまでみこまれては、断われない。おれは、それをやってやった。

数日後、その友人は貫録のある六十歳ぐらいの男を連れてきて、おれに言った。

「この人は、大会社の社長をしておいでなんだ。お礼はいくらでも出すから、祖父のために、あれをやってほしいとのことなんだ」

「どんな事情なんです」

とおれが聞くと、そいつは説明した。

「わたしは今でこそ成功しましたが、祖父の代には、まことに哀れな暮しでした。その霊がわたしにとりついているのか、よく夢に見ますし、わたしも貧乏性が抜けませんん。祖父の供養をしたいのです。坊さんにたのんでもいいが、効果てきめんとは限らない。あなたのやり方のほうが、よさそうに思えまして……」

友人がそばで、おれにささやく。

「引き受けなさいよ。きみだって、これまでけっこう研究費を使っている。それに無料奉仕ばかりじゃ、割に合わないよ。ひとりぐらい、ここで割り込ませたって、いいじゃないか。ほかの人が少しおくれたって、いずれは恩恵にあずかれるんだし……」

「それもそうだな。で、どんなことを、お伝えすればいいのですか」

「ここに、わたしと父との略歴を持ってきました。お読み下さい」

おれはそれに目を通した。

「なるほど。お父上が事業をはじめられ、あなたはそれを引きついだ。ひたすら勤勉と努力、部下にやさしく、友情にあつく、利益はあげるが慈善事業にもつとめ、夫人を愛し、子供にはいい父親。なんだか、道徳の模範みたいですな。本当なんですか」

「いいじゃありませんか。それとも、祖父を苦悩のなかで死なせたままにしておいたほうがいいと、おっしゃるのですか。たのみます。お礼は、お望み通り出しますから。まずは、とりあえず……」

札束が渡された。それはなかなか魅力的な金額で、おれは承知した。

そんなことがきっかけで、たちまち千客万来となった。あるビルのなかに、事務所をもうける必要に迫られるほどに。

世の中に、こんな利益率のいい商売はないんじゃなかろうか。事業をやるのははじめてだが、金は入ってくる一方なんだ。それに持ってくるのは現金で、領収書をよこせなどと言う者はない。友人は、これなら税金はいくらでもごまかせるという。

客たちは、口々に申し出る。

「学位を取りました。死にぎわの祖先に、このことを報告して下さい」

「大臣になりました……」

「社長になりました……」

「大学教授になりました……」

「外国へ旅行してきました……」

末は博士か大臣かと貴重がられたのは、ずっと昔のこと。いまや、そんなのは、はいてすてるほどいる。しかし、当人にとっては、それを祖先に知らせたいらしい。供養というより、ある種の優越感を満足させたいためかもしれない。

こんなに依頼者があるとは、予想もしていなかった。そして、それまで知らなかった、遊びの味をおぼえた。やってみると、こんな面白いことはない。おれは青春を空費したのだ。いま遊びまわって、どこが悪い。

おれがどんなに豪華な毎日をすごすようになったかは、ご想像にまかせる。現実は、その想像以上のものなのだが。つまり、金でできることは、すべて体験した。

半年ぐらいたったころ、おれはだるさを感じはじめた。遊びすぎかもしれない。念力を強めるための、電流の副作用のためかもしれない。しかし、大金を持った依頼者は、つぎつぎに来る。

その事態の悪化は、急速に訪れてきた。ある日の夜、ベッドに横たわっていると、おれは胸に強い痛みを感じた。ひや汗は出るし、呼吸も苦しくなってきた。電話しようにも、手足がしびれはじめていて動かない。

その時、どこからともなく声がした。

「おまえというやつは、とんでもないことをしやがって……」

これは未来からの声なのだろうか。それとも霊界からの声だろうか……。

あとがき

神秘や怪奇の体験を、私はしたことがない。幽霊を見たこともなく、ＵＦＯも同様。念力や超能力だって、自分にそなわっているとは思わない。金しばりも未体験。催眠術もだめだった。ロボットかアンドロイド。普通の人間以下なのかな。悪くないアイデアだ。作品にすればよかったようだ。

しかし、怪奇的なものは、だいぶ小説に登場させた。あったら面白いだろうと思ってである。ここは人間的か。

体験が完全にゼロかとなると、ひとつだけ気になることがある。昭和三十二年（一九五七）に、ＳＦ同人誌「宇宙塵」に「セキストラ」という短編を書いた。それが当時、江戸川乱歩さんの編集していた、推理小説専門誌「宝石」に転載された。

それをきっかけに作家になったことは、ご存知のかたも多いだろう。運のいいことって、世の中にはあるものだ。全国で小説の新人賞は、年に二十人ちかくが受賞している。問題は、二作目をすぐ書けるかどうかだ。

それなのに、私はなんとかなるだろうと思っていた。で、机にむかって頭に浮かんだのが「ボッコちゃん」の話である。自分で言うのもなんだが、よくまとまっている。事実、その時、だれかがささやいてくれたようだった。

これが私のショートショートの原型となった。つづいて「おーい　でてこい」が書け、三十年ちかくかかって千編が出来た。

あの瞬間に、私の頭のなかで、ある回路が成立したのではないのだろうか。そのあと、苦しんだ時期も、スランプもあったが、まあなんとか書きつづけてきたのだ。

そう考えると、妙な気分になってしまう。当人において、すでにかくのごとし。作者を論じるのが、いかにむずかしいかだ。

小説の本をとりあげて特集するのが好きな雑誌がある。解説特集の号では、星新一の文庫の解説に、多くの人が手を焼いていると紹介してあった。

読者の多くは、私の作品を読み「あっ」か「ふふん」だろう。あれぐらいは、自分にも書けそうだ。そんな気分になるらしい。しかし、解説となると、やっかいだろう。小説はわかりやすいが、解説はむずかしいとなると、困ったことになる。どうやら、多くの筆者に迷惑をかけたようだ。

自分にも書けそうだと思っても、亜流はいまだに出ないのだ。いじわるをして、新人出現を妨害しているのではない。むしろ望んでいるのだが、そうならない。目に見えぬ力の、お助けがないせいか。

私より読者の多い作家も、たくさんいる。そのかたたち、似たような体験をしているのか、ちがうのか、知りようがない。

神秘的な話にしてしまったが、読書歴、成長した時代背景、好みの傾向、友人関係、そのほかを整理すれば、普通の説明も可能だろう。ただ、それは大変な長さになり、とくに面白くもない読み物にしかすぎない。

ひとつの神話にしてしまうほうが、簡単にして賢明だろう。太宰治《だざいおさむ》の文章など、まねしやすそうだが、やれる人はいない。あの時代の津軽での旧家の生活を、現実に体験できないからだ。いいかえれば、個性とはきわめて根が深いものといえる。

なんで、こんな話になってしまったのか。

この本を文庫化するので、読みかえしてみて、一人称の作品がいくつかあるのに、気がついた。私は、なるべく三人称で書くようにしている。外国の短編を翻訳で読みあさったせいだろう。

もっとも「出勤」や「会員になって」や「声が……」など、一人称のほうが処理しやすいといえるかもしれない。しかし、なぜこの時期に、そのようなアイデアが多く出たのか、これまた神のみぞ知るになってしまう。

この本のあと、また三人称専門に戻るのだ。いまや、それが主張にまでなってしまったが、こういう経路をたどってもいるわけだ。

また、本書収録の作品は、ショートショートより長目なものが多いかもしれない。なぜかというと、依頼された枚数がそうだったからだ。べつに、原稿料の枚数をかせぎたくて、自分でそうしたのではない。やれるものなら、本書の作品をショートショートになおしてごらんなさい。より面白くはならないと思う。

ショートショートと、少し長めのでは、個性は変らなくても、アイデアの質やストーリーの組立てが、微妙にちがう。ひとつの修業になったのは、たしかだろう。

そのうち、千編を意識し、数をふやすにはとショートショートを書かせてもらうよう運動した。それには苦労もあった。私の作家としての地位もあがっていたので、そのわがままが通せたのだ。

いまでは、信じられないことだろう。なぜそんな時期があったのか、これも神のみぞ知るだ。ショートショートを衰退させる、ある陰謀のような気もする。逆に、短く軽いのは、もったいないとの好意からかもしれないが。私の亜流の出にくい、一因となっているかもしれない。

評論家も研究してないことを書いたが、作品を論じるのは、かくもむずかしい。発想についてだって、新潮文庫の『できそこない博物館』をお読みになれば、いかにやっかいか、おわかりになるだろう。

論じるとなると、独断と無知で、思い切ってやるしかない。このあいだ『ベンジャミン・フランクリン自伝』について、それをやった。アメリカ独立戦争について、さほどの知識もないのに。

とにかく、世の中には未知な部分が、まだまだあるのです。

昭和六十二年十二月

この作品集は昭和五十三年八月新潮社より刊行された。

星新一著

ボッコちゃん

ユニークな発想、スマートなユーモア、シャープな諷刺にあふれる小宇宙！　日本ＳＦのパイオニアの自選ショート・ショート50編。

星新一著

ようこそ地球さん

人類の未来に待ちぶせる悲喜劇を、卓抜な着想で描いたショート・ショート42編。現代メカニズムの清涼剤ともいうべき大人の寓話。

星新一著

気まぐれ指数

ビックリ箱作りのアイディアマン、黒田一郎の企てた奇想天外な完全犯罪とは？　傑出したギャグと警句をもりこんだ長編コメディー。

星新一著

ほら男爵現代の冒険

〝ほら男爵〟の異名を祖先にもつミュンヒハウゼン男爵の冒険。懐かしい童話の世界に、現代人の夢と願望を託した楽しい現代の寓話。

星新一著

ボンボンと悪夢

ふしぎな魔力をもった椅子……。平和な地球に出現した黄金色の物体……。宇宙に、未来に、現代に描かれるショート・ショート36編。

星新一著

悪魔のいる天国

ふとした気まぐれで人間を残酷な運命に突きおとす〝悪魔〟の存在を、卓抜なアイディアと透明な文体で描き出すショート・ショート集。

星新一著 おのぞみの結末

超現代にあっても、退屈な日々にあきたりず、次々と新しい冒険を求める人間……。その滑稽で愛すべき姿をスマートに描き出す11編。

星新一著 マイ国家

マイホームを〝マイ国家〟として独立宣言。狂気か？ 犯罪か？ 一見平和な現代社会にひそむ恐怖を、超現実的な視線でとらえた31編。

星新一著 妖精配給会社

ほかの星から流れ着いた〈妖精〉は従順で謙虚、ペットとしてたちまち普及した。しかし、今や……サスペンスあふれる表題作など35編。

星新一著 宇宙のあいさつ

植民地獲得に地球からやって来た宇宙船が占領した惑星は気候温暖、食糧豊富、保養地として申し分なかったが……。表題作等35編。

星新一著 午後の恐竜

現代社会に突然巨大な恐竜の群れが出現した。蜃気楼か？ 集団幻覚か？ それとも立体テレビの放映か？――表題作など11編を収録。

星新一著 白い服の男

横領、強盗、殺人、こんな犯罪は一般の警察に任せておけ。わが特殊警察の任務はただ、世界の平和を守ること。しかしそのためには？

星新一著
ひとにぎりの未来
脳波を調べ、食べたい料理を作る自動調理機、眠っている間に会社に着く人間用コンテナなど、未来社会をのぞくショート・ショート集。

星新一著
だれかさんの悪夢
ああもしたい、こうもしたい。はてしなく広がる人間の夢だが……。欲望多き人間たちをユーモラスに描く傑作ショート・ショート集。

星新一著
未来いそっぷ
時代が変れば、話も変る！　語りつがれてきた寓話も、星新一の手にかかるとこんなお話に……。楽しい笑いで別世界へ案内する33編。

星新一著
さまざまな迷路
迷路のように入り組んだ人間生活のさまざまな世界を32のチャンネルに写し出し、文明社会を痛撃する傑作ショート・ショート。

星新一著
かぼちゃの馬車
めまぐるしく移り変る現代社会の裏の裏のからくりを、寓話の世界に仮託して、鋭い風刺と溢れるユーモアで描くショートショート。

星新一著
エヌ氏の遊園地
卓抜なアイデアと奇想天外なユーモアで、夢想と現実の交錯する超現実の不思議な世界にあなたを招待する31編のショートショート。

恩田陸著　球形の季節

奇妙な噂が広まり、金平糖のおまじないが流行り、女子高生が消えた。いま確かに何かが大きく変わろうとしていた。学園モダンホラー。

恩田陸著　六番目の小夜子

ツムラサヨコ。奇妙なゲームが受け継がれる高校に、謎めいた生徒が転校してきた。青春のきらめきを放つ、伝説のモダン・ホラー。

恩田陸著　ライオンハート

17世紀のロンドン、19世紀のシェルブール、20世紀のパナマ、フロリダ……。時空を越えて邂逅する男と女。異色のラブストーリー。

恩田陸著　夜のピクニック
吉川英治文学新人賞・本屋大賞受賞

小さな賭けを胸に秘め、貴子は高校生活最後のイベント歩行祭にのぞむ。誰にも言えない秘密を清算するために。永遠普遍の青春小説。

恩田陸著　私と踊って

孤独だけど、独りじゃないわ――稀代の舞踏家をモチーフにした表題作ほかミステリ、SF、ホラーなど味わい異なる珠玉の十九編。

恩田陸著　歩道橋シネマ

その場所に行けば、大事な記憶に出会えると――。不思議と郷愁に彩られた表題作他、著者の作品世界を隅々まで味わえる全18話。

角田光代著
キッドナップ・ツアー
産経児童出版文化賞・路傍の石文学賞受賞
私はおとうさんにユウカイ(=キッドナップ)された! だらしなくて情けない父親とクールな女の子ハルの、ひと夏のユウカイ旅行。

角田光代著
さがしもの
「おばあちゃん、幽霊になってもこれが読みたかったの?」運命を変え、世界につながる小さな魔法「本」への愛にあふれた短編集。

角田光代著
しあわせのねだん
私たちはお金を使うとき、べつのものも確実に手に入れている。家計簿名人のカクタさんがサイフの中身を大公開してお金の謎に迫る。

角田光代著
平凡
結婚、仕事、不意の事故。あのとき違う道を選んでいたら……。人生の「もし」を夢想する人々を愛情込めてみつめる六つの物語。

角田光代著
月夜の散歩
炭水化物欲の暴走、深夜料理の幸福、若者ファッションとの決別——。〝ふつうの生活〟がいとおしくなる、日常大満喫エッセイ!

角田光代
河野丈洋著
もう一杯だけ飲んで帰ろう。
西荻窪で焼鳥、新宿で蕎麦、中野で鮨、立石ではしご酒——。好きな店で好きな人と、飲む酒はうまい。夫婦の「外飲み」エッセイ!

安《あん》全《ぜん》のカード

新潮文庫　ほ - 4 - 39

昭和六十二年十二月二十日　発　行
平成二十五年　五　月二十五日　三十一刷改版
令和　六　年　六　月　五　日　三十四刷

著　者　星《ほし》　新《しん》　一《いち》

発行者　佐藤隆信

発行所　株式会社　新潮社

郵便番号　一六二―八七一一
東京都新宿区矢来町七一
電話　編集部（〇三）三二六六―五四四〇
　　　読者係（〇三）三二六六―五一一一
https://www.shinchosha.co.jp

価格はカバーに表示してあります。

乱丁・落丁本は、ご面倒ですが小社読者係宛ご送付ください。送料小社負担にてお取替えいたします。

印刷・株式会社光邦　製本・株式会社大進堂

ISBN978-4-10-109839-5 C0193